"

안녕,
집사!

강아지, 고양이가
당신에게
전하고 싶은
말

김지혜(올레비엔) 지음

김지혜(올레비엔)
https://brunch.co.kr/ollebn
올레비엔의 브런치입니다.

발 행 | 2024-01-01
저 자 | 김지혜 (올레비엔)
디자인 | 김지혜 (올레비엔)

펴낸이 | 한건희
펴낸곳 | 주식회사 부크크
출판사등록 | 2014.07.15(제2014-16호)
주 소 | 서울 금천구 가산디지털1로 119, A동 305호
전 화 | 1670 - 8316
이메일 | info@bookk.co.kr

ISBN | 979-11-410-6193-7
가 격 | 15,000원
본 책은 브런치 POD 출판물입니다.
https://brunch.co.kr

www.bookk.co.kr
*메타버스 정기모임 <90일 작가되기 프로젝트>를 통해서 발간된 책입니다.

99
안녕,
집사!

강아지, 고양이가

당신에게
전하고 싶은
말

"
안녕,
집사!

하고 싶은 말이 있어.

사는데 쫓겨서,

감히 반려동물과 살아보고 싶다고 생각해 볼 겨를이 없었다. 전원주택으로 이사하는 엄마를 도와주러 갔다가 충동적으로 제주에 눌러살게 되었다. 서울에서는 항상 미래만 바라보고 언젠가를 위해서 열심히 살았다. 그즈음 사업 확장을 고민하고 있었는데, 제주라는 브랜드가 내 사업에 도움이 될 것 같아서 충동적이지만, 계산적으로 급하게 제주로 내려왔다.

방법용 강아지

평생을 도시에서, 아파트에서만 살던 우리 가족은 방범 샷시나 관리사무소 없이 산다는 것이 불안했다. 그래서 선택한 것이 강아지 입양이었다. 그림 같은 전원생활을 꿈꿔서 반려동물을 키우려던 것은 아니었다. 보안 업체에 가입하는 대신에 엄마가 살던 시대의 보안방식을 채택한 것이 골든리트리버 '마루'의 입양이었다. 나머지 가족은 남겨둔 채 엄마와 나, 여동생 세 모녀만 제주도 생활을 시작했다. 이미 고양이 '양갱이'를 오래 키우고 있기는 했지만, 그 외에는 반려동물을 키워본 적이 없었다. 어릴 적 학교 앞에서 사 온 병아리를 키워본 것이 전부였다.

제주도에서 시작하는 새 삶을 위해 정원용품을 사거나, 새 가구를 사는 것처럼 강아지도 인터넷을 뒤져서 이삿날에 맞춰 사 왔다. 예상하지 못했던 것은 새 가구와는 달리 강아지는 온갖 참견을 해댄다는 점이었다. 엄마가 강아지를 구해달라고 했을 때만 해도 반려동물과 속 편하게 인생 2회차를 꿈꾸는 철없는 엄마의 상황이 부러웠을 뿐이었고, 설득이 통하지 않으니 구매를 대신 했을 뿐이었다. 귀여운 새끼 강아지와 함께 산다는 것 자체가 내 관심사는 아니었다. 제주도라는 새 브랜드를 입고 '사업을 어떻게 확장할까'에만 관심이 있었다.

함께 살아보니, 엄마는 어릴 적 죽어가던 병아리를 살려내고, 모든 것을 혼자 다 해내던 젊은 엄마가 아니었다. 너무 활발한 강아지를 어찌 훈련해야 할지, 어떻게 예뻐해야 할지 모르는 대책 없는 아줌마였을 뿐이었다. 어쩌다 보니 차례가 밀리고 밀려 강아지랑 주로 시간을 보내는 것은 내가 되었다. (내 주장일 뿐이니 다른 사람 말도 들어봐야 한다.) 그러나, 나는 강아지나 고양이의 주인인 적이 한 번도 없었다.

귀 기울이면,

사람들만 수다쟁이라고 생각했다면, 오산이다. 아마 반려동물을 키우는 사람이라면 모두 수긍 할 테지만, 동물들은 생각보다 인간의 말이 아니더라도 의사 표현을 잘한다. 처음에는 '배고파', '나가자' 정도지만 차츰 여러 가지 의견도 잘 말해준다. 같이 살다 보면 마치 아기의 말을 잘 알아듣는 부모처럼 강아지의 말도 알아듣게 된다. 강아지도 아이처럼 천진하기도 하고, 어른의 선생님 같은 말도 곧잘 한다. 강아지와 고양이와 함께 제주에서 지낸 것은 고작 5년 정도였지만, 그동안 우리집 개, 고양이는 **'배운다고 알 수 없는 삶의 방식'**, '천부적인 동물적 감각으로 익힌 세상의 비밀' 같은 것을 알아들을 수 있을때까지 조잘조잘 말해줬다.

동물들은 동물적 감각으로 현명하게 사는 법을 알았다. 심지어 그들의 시간은 사람들보다 몇 배는 빠르게 흐르는데도, 조바심 내거나, 허둥대다가 좋은 시절을 다 망쳐버리는 일이 없었다. 그리고, 들을 준비만 되어있다면. 꾸준히 따끔한 현실적인 조언과 함께, 다정한 말들을 건넨다. 귀여운 반려동물들이 전하는 말들을 함께 듣고 싶어서 이책을 쓴다. 분명히 당신의 반려동물도 끊임없이 중요한 이야기를 해줄 것이 분명하니까.

　오직 인간적인 기준으로 세상을 재던 똑똑한 멍충이였던 나의 귀를 열고, 눈을 틔워준 동물들의 말을 담았다. 반려동물과 함께 살고있는 사람이나, 앞으로 다른 생명과 함께하려는 계획이 있다면, 귀 기울이는 법을 배워야 한다. 지나치기 쉬운, 웃기고, 귀엽고, 아름다운 동물들의 말을 알아듣게 될 것이다.

산전수전 다 겪은 토종 고양이 열 살 '양갱이'
삐진 여중생 같은 2달 된 골든리트리버 '마루'
6~7살로 추정되는 집 지키는 요크셔테리어 젤로
세상에서 가장 축축하고 보드라운 영혼이 들려준 말들

``

"

'전원생활'의 품격을 높여줄
가성비 좋은 품종견

"

🔓 인간을 위한 세상

세상 모든 것은 당연하게도 인간들을 위한 것이다. 신기한 동물도 아름다운 자연도, 모두 인간의 것이었고, 의심해 본 적이 없었다. 동화책에서 배운 신기한 동물도, 동물원에 몇 마리씩 구경거리로 모아둔 동물도 인간의 배움을 더 풍부하게 해 줄 경험의 재료였다. 우리는 그들을 키워주고 있으면서 책임을 다하고 있었고, 살아있는 것은 물론이고 풍경까지도 당연히 사람들의 것이었다.

자연은 언제나 모순적이었다. 가장 청정한 것이면서, 흙덩이나 풀씨 따위로 신발을 더럽혔다. 누구나 가까이 두고 싶지만, 사람의 손길이 닿지 않는 완전한 자연속으로 들어가는 것은 생각하기도 싫었다. 그 벌레들, 뜨거운 햇빛을 생각하면 자연은 좀 거리가 있는 것이 좋았다.

나는 지극히 평범한 여자애들처럼, 날벌레라도 팔에 앉으면 깜짝 놀라고, 바퀴벌레는 기겁했다. 야외로 소풍이라도 나가면, 잔디밭을 뚫어져라 바라보면서 한동안 긴장해 있었다.

제주도라는 배경

그런데도, 제주도의 모든 풍경과 자연은 사랑했다. 사실 풍경은 생각보다 비싼 것이어서, 생각보다 많은 비용이 풍경 값으로 들어갔다. 커피값, 음식값, 집값 안에 풍경의 가격이 들어있었다. 자연이라는 훌륭한 배경의 가격은 만만치 않았다. 세상에 존재하는 모든 것은 사람들을 위한 것이었지만, 내 것이라는 뜻은 아니었다. 감히 서울에서는 한강변 같은 비싼 풍경을 꿈꿀 수 있는 처지는 아니었지만, 제주도는 비싼 집이나 싼집이나 상관없이 제주도라는 예쁘고 비싼 배경을 두르고 살 수 있었다.

처음 이사를 왔을 때는 서울에서는 꿈도 꿀수 없던 비싼 제주도라는 배경이 보고만 있어도 아까웠다. 그래서, 환경을 지키는데 앞장서서 쓰레기를 애초에 만들지 말라는 둥, 무슨 소리를 하는지도 모르고 참견해댔다. 서울에서는 언감생심 꿈꾸기도 힘든 바닷가나 산책로가 비싼 풍경이라서였을까, 명품 가방이라도 대하듯이 아끼고 싶은 마음이었다. 완벽한 삶에는 완벽히 통제되고 가꿔진 제주도 같은 배경이 필요했다.

자연의 정의

통제되지 않고 용도를 모르는 잡초나 풀벌레 같은 것들은 지켜야 할 자연이라고 생각해 본 적이 없었다. 재미로 개미를 죽이는 것은 누구나 한 번쯤은 해본 장난이니까.

'주님은 나나 벌레 둘 중에 하나만 선택해서 창조했어야 했다.'면서 항상 한탄했다. 제주도는 평소에는 가질 수 없었던 값비싼 자연이라서 마냥 좋았지만, 개미는 이유를 모르겠는 신의 실수 같았다. 나에게 자연은 이렇게 정의되어 있었다.

당연히 생명에도 우선순위가 있다. 잠자리를 잡거나 재미로 개미를 죽이는 아이들을 보면서 '잔인하게 다른 생명을 가지고 놀지는 말라'고 어른 같은 소리 정도는 할 줄 알게 되었다. 속으로는 잠자리와 개미의 개체 수가 수없이 많은 것은, 아이들이 가지고 놀아도 충분할 만큼을 신이 선물한 현장학습 도구라고 생각했다. 어릴 때는 곤충을 가지고 놀면서 생명의 소중함, 자연의 아름다움을 배우는 것이다. 학교에 준비물로도 가끔은 곤충이나 개구리 같은 것을 가져가기도 하니까, 하느님이 아이들에게 선물한 학교 준비물을 가지고 노는 것은 큰 문제는 아니었다. 나는 신도, 자연도 여전히 납득하지 못하고 있었다. 조그만 풀이나 날벌레 하나까지도 모든 살아있는 것은 인간을 위한 배경일 뿐이라고 여전히 생각했다.

그러면서도 어딘가 알 수 없이 켕기는 구석이 있었다. 매년 여름마다 '모기를 멸종시키면 지구에 무슨 일이 일어날까'를 상상하는 과학 콘텐츠가 끊임없이 나오는 것을 보면서 나만 이기적으로 생각하는 것은 아니라고 위안을 삼았다. 자연은 인간을 위한 보조적인 생명이며, 생명의 가치는 인간이 가장 고귀하고, 나머지는 인간의 필요에 따라 달라진다. 나 혼자 하는 생각은 아니니까 괜찮다.

가성비 좋은 '브랜드' 서양 품종견

제주도로 이사하는 것은 가장 인기 있는 브랜드의 아파트로 이사 가는 것과 같았다. 이름이 '제주도의 전원생활'일 뿐이었다.

이사를 한 달쯤 남겨둔 시점에, 엄마가 갑자기 진도에 다녀오겠다고 했다. 진도에 가서 100만원쯤 하는 진돗개를 사 온다는 말에 비상이 걸렸다. '전원생활'이라는 트랜드한 라이프 스타일에 진돗개는 매우 가성비가 떨어져 보였다. 강아지 품종에도 심리적 가성비가 있는데, 홈쇼핑에서 파는 이름 모를 브랜드 가방을 비싸게 사는 느낌이 들었다. 우리에게는 최소한 '전원생활'의 품격을 높여줄 가성비 좋은 '금발 미녀 서양개'가 필요했다.

엄마가 홈쇼핑에서 결제를 하려고 하면, 딸들은 세상 물정을 모른다고 나무란 다음에 가격도 더 싸고, 이름값도 괜찮은 브랜드로 백화점에서 대신 사준다. 강아지도 당연히 그런 쇼핑의 대상이었다. 검색을 시작했다.

강아지들은 삶을 완벽하게 해줄 귀여운 액세서리다. 영국 여왕은 신기하게 생긴 숏다리 강아지들을 키운다고 했고, 어릴 때 본 만화에서 달마시안 강아지는 심성이 못된 패션 회사 사장의 패션 아이템이었다. 낸시랭 어깨의 고양이도 품종 고양이인 것 같았다. 100만원이나 들인다면 당연히 가성비 좋은 서양 품종견이 마땅했다. 잔디마당에 그네 의자와 작은 꽃밭과 품종견은 전원생활을 그림처럼 만들어 줄 것이고, 우리는 책임을 질 준비가 되어있으니 당연히 가성비를 따져야 한다.

품종은 브랜드였고, 품질은 견종의 특성이었다. 집을 지킬만하면서, 어르신들도 키우기 쉬우면서, 너무 사납지도 않고, 주민 친화적이어야 했다. 말도 잘 듣고 똑똑하고,

건강한 가성비 좋은 개를 찾아 나섰다. 매우 합리적으로 '금발 미녀' 품종견 골든리트리버를 구매했다. 물론 마당에 둘 그네 의자와 키 작은 꽃들도 함께 구입했다.

순수한 사랑을 보장하는 "
확실한 방법, '납치극'

"

멍!

🄵🄵 순수한 사랑을 보장하는 확실한 방법
'납치극'

우리는 며칠 동안 머리를 싸매고 공부를 시작했다. 적절한 대상을 물색하고, 이후의 상황들을 시뮬레이션하고, 조력자를 구하고 작전을 짰다. 목표는 물론 아름답고, 순수한 사랑을 시작하는 여정이었다. 앞으로 일상을 바꿀 것이고, 기쁨이 되어 줄 것이고, 우리의 삶을 그림처럼 바꿔줄 전원생활의 중요한 요소다. 그때는 미처 우리를 영영 바꾸어 인생의 전환점이 될지도 모르겠다는 생각 같은 것은 하지 않았다. 며칠간이 새로운 만남에 너무도 설레었다. 이 납치극은 순수한 사랑을 보장하는 확실한 방법이었다.

우리는 앞으로 영원히 행복하게 그림처럼 살게 될 것이다. 함께 살게 될 순수한 생명을 위해서, 안락하고 귀여운 집도 마련하고, 자질구레한 준비를 하면서 기대에 차서 그날을 기다렸다.

마침내 기다려온 그날,

마침내, 철저한 계획으로 준비해 온 그날이 왔다. 먼 길을 달려서 약속된 장소 근처에 주차를 하고 도착을 알렸다. 우리를 도와줄 조력자는 미리 마중 나와 있었다. 먼길을 달려온 우리를 최대한 도와주었다. 한 주택단지의 뒷마당에서 최대한 조용하고 빠르게 행동하라고 우리에게 지시했다. 납치극의 낌새를 알아차리면 '일이 매우 피곤해진다'고 말했다. 흥분된 마음을 자제하면서, 조용히 행동하려고 노력했다. 조용하면서 평화로운 만남의 순간이었다.

이제 세상에 나온지 갓 두 달이 채 안 된 작고 꼬물꼬물 한 새끼들을 만날 것을 기대했지만, 이미 5kg 넘는 생각보다 큰 털뭉치였다. 그저 쫄랑쫄랑 움직이고 별생각이 없어 보이고, 경계심도 없고, 신나서 반기지도 않는 멍하고 부드러운 생명체를 만지고 살펴봤다. 평생을 함께 할 사이였지만, 수박을 고를 때처럼 어떻게 골라야 할지 몰라 감에 맡기는 수밖에 없었다. 결국 건강해 보이는 한 마리를 골랐다.

그 자리에서 빠르게 입금을 하자, 그 사람은 너그럽게도 당분간 사용할 용품들을 나눠주고, 필수적인 조언을 아끼지 않았다. 그리고, 조용히 작별 인사를 나눴다. 모든 것이 성공적이고, 만족스러웠다. 모든 것을 마치고 조용하고 빠르게 강아지를 안고 차로 돌아가고 있었다.

하울링

그러나, 같이 간 내 동생이 마음을 바꿨다. 먼저 골라서 데려가려던 강아지의 혓바닥에 검은 점이 있었기 때문이다. 함께 할 미래에 '오점'을 허락할 수 없어서 다시 돌아갔다. 혓바닥에 점이 없는 다른 강아지로 바꾸려고, 개 주인을 부르고, 미안하다는 말을 건네는 동안 조금 소란스러워지고 말았다. 다시 차로 돌아가려는 순간, 굵고 긴 하울링 소리가 들렸다.

당황한 우리를 두고 개 주인은 행운의 말을 건네면서 괜찮다고, 빨리 돌아가기를 재촉했다. 어쩔 수 없는 일이라고 걱정말라고 했다. 며칠 동안 준비한 우리의 납치극은 그렇게 대충 성공적으로 마무리되었다.

하울링 소리가 들리지 않게 되자마자 우리는 흥분을 감출 수 없었다. 개주인 앞에서는 할 수 없었던 이야기들을 쏟아 놓았다. 두 달 밖에 안 된 강아지가 생각보다 너무 크다거나, 차비 몇만 원을 깎아줘서 좋았다거나, 이런 용품까지 있어야 하는 줄 몰랐다면서, 앞으로 쇼핑계획을 세우기도 했다. 저렴하게 잘 성사된 쇼핑과 오점 하나 없는 귀여운 강아지 덕분에 돌아오는 길은 오후의 햇빛처럼 따뜻하고 평화롭게 기억된다.

이제 막 낯선 차에 탄 강아지는 반응도 없고, 두려워하는 기색도 없이 멍하게 차 안에서 잠을 잤고, 우리도 아직 강아지가 막 사랑스럽고 하기보다는 무사히 건강한 강아지를 데려온 것, 별문제 없이 시작하게 된 것을 다행으로 여겼다.

원래 다~ 그렇게 하는 것

어미 개의 울음소리는 별로 기억 나지 않는다. 우리는 좋은 견생을 선물할 좋은 납치범이니까 괜찮을 것이다. 원래 다 그렇게 하는 것이다. 남겨진 개보다는 앞으로 함께할 우리 개에게 잘해주면 된다. 아름답기만 한 것은 세상에 거의 없다. 어쩔 도리가 없었다. 다른 방법이 있었다면 좋았겠지만, 모든 삶은 아픔을 딛고 시작된다. 우리는 이별을 상쇄하고도 남을 사랑을 줄 것이다. 이 보장된 순수한 첫사랑은 주도면밀하고 성곡적인 납치극으로 시작되었다.

돈 값하는 생명

마루는 필요해서 사 온 생명이다. 혼자 살기 외롭지 않도록, 시골살이에서 집을 지킬 수 있도록. 지금 시대의 우리들은 필요한 것을 사는 것 말고 마련할 방법이 또 뭐가 있는지 알지 못한다. 시간을 들여 짜는 스웨터도 아니고, 그것이 무엇이든 간에 필요하면 산다. 심지어 키우던 식물이 잘 자라서 화분을 옮길 때가 되면 당연하게 흙도 사야 했으니까.

구입하는 것의 목적은 분명하다. 돈 값을 하면 된다. 돈 값을 하면 손해는 아니다. 지금까지 구매한 것들은 모두 역할을 충분히 해냈다. 그 이상도 이하도 아니었다. 빗자루를 사면 청소를 했고, 컵을 사면 음료를 따라 마셨다. 그것으로 충분했다. 빗자루나 컵이 나에게 무언가를 요구한 적은 없었고, 말을 안 듣는다면, (기능을 상실했다면) 고민 없이 버렸다. 그리고 잊었다. 살아있는 것도 예외는 아니었다. 주거가 불안정한 자취생 주제에 살 수 있는 생물은 화분 정도가 다 였지만, 연쇄 살인마처럼 화분들이 죽어나가도 다시 사들이면 그만이었다.

마루도 좀 더 귀여웠을 뿐 자취방에 새로 들인 화분과 별반 다르게 생각하지 않았다. 필요해서 사 온 것은 역할을 해야 하는데, 마루는 가만히 있지도 않았고, 요구사항도 많았다. 혼자 작은 머리로 생각하기도 하고, 감정표현도 하고, 똑똑하게 생각도 하는 존재라는 사실을 이해하기까지 한참이 걸렸다. 처음에는 사고를 치거나 귀여운 행동들도, 귀여움을 담당하는 강아지의 역할이라고 생각했으니까. 우리와 똑같이 사랑하고, 화도 내고, 하루하루를 살아가는 존재였고, 온 우주에서 단 하나뿐인 존재라는 것은 오히려 작은 강아지가 똑똑한 사람에게 가르쳐 줘야 했다. 왜 그런 존재가 우리 인간뿐이라는 착각을 했을까 사람들은 알려진 것보다 개들에게 배워야 하는 것이 꽤 많았다. 마루는 상품이 아니고, 세상에 단 하나뿐인 친구이면서 가족이 되어갔다. 물론 리트리버는 모든 개들이 다 똑같이 생겨서 섞이면 찾을 수 있다는 확신은 없지만, 마루가 언제나 우리를 찾을 것이다.

마루

1

＂

누군가의 삶을 책임질 수
있다는 오만

"

어디갔다 이제와.
형편은 이제 좀 나아졌어?

🗝 어리석은 결정

반려동물과 함께 살기로 결정한다는 것은 내일도 오늘 같이 안전하고 평온한 상태를 유지할 수 있을 것이라는 확신에서 나온다. 한 치 앞을 알 수 없는 것이 인생이란 것을 모르지 않으면서도, 우리는 오늘 같은 내일이 올 것이라는 어리석은 확신을 가지고 산다. 사람이 가질 수 있는 것 중 가장 가치있는 것이 내일인데, 우리는 로또 같은 내일을 위한 행운에 매달리면서도, 내일이 오지 않을까봐 조바심내는 사람은 없다. 나는 아무것도 하지 않으면서도, 특히나 내일은 다를것이라고 기대하는 가장 멍청한 부류다. 언제나 물욕에 영혼까지 잠식당한 나는, 항상 새것을 더 좋아했다. 언제나 딱 하나뿐인 오늘보다는 수천, 어쩌면 만개도 넘게 남았을지 모르는 내일이 항상 더 좋아 보였다. 오늘의 모든 일들은 더 좋은 내일을 위한 선택이었고, 내일은 더 나을거라 이유없이 믿었다.

동물들이 사람들과 같은 점은 내일을 의심하지 않는다는 점이다. 그래도 사람들은 살아갈 내일이 얼마 남지 않게 되면, 교회에 가기도 하고, 그동안 하고 싶었던 일을 저지르기도 한다. 나이든 동물들이 신을 찾아서 교회에 몰러든다는 말은 들어 본 적이 없다. 동물들은 사람보다 더 내일을 확신하는 것이다. 그중에서도 반려동물들은 끝없이 이어질 편안한 내일의 간식을 위해서, 오늘의 선택권을 버렸다. 오늘도, 내일도 간식을 내 줄 사람들에게 운명을 의탁하기로 한 것이다. 당장은 목줄 뒤에 따라오는 사람이 귀찮기는 하지만, 지금 목줄 없이 자유롭게 날뛴다면, 내일의 간식은 없다는 사실을 잘 알고 있다. 아마 야생에서 겨룬다면, 진돗개 한 마리도 사람이 이기기 힘들다는 것은 사람도, 동물도 다 알고 있다. 그런데도, 개와 고양이는 야생의 민첩함과 힘을 내려 놓고, 어리석게도 내일의 간식을 인간에게 안정적으로 받아먹기로 결정했다. 인간의 특기가 배반인지도 모르고,

누군가와 함께 살기로 결정한다는 것은 동물에게나, 사람에게나 언제나 어리석은 선택일 수밖에 없다. 이성을 가지고, 똑똑한 선택을 한다면 절대 할 수 없는 결정이 누구가와 함께 행복할 수 있다는 착각이고, 다른 생명을 책임질 수 있다는 오만이다. 반대로 어리석은 선택이 아니면 우리는 절대 함께하는 행복을 누리지 못할지 모른다. '아이들이 귀찮게 졸라대서', '허락도 없이 이미 데려와서',

'바라보는 눈빛이 남다른 느낌이 들어서' 같은 어리석은 이유로 인간들은 동물과 함께 행복하기로 결정했다. 인간은 언제나 자신들을 과대평가하는 경향이 있다. 인간이 책임감없고, 이기적이기는 하지만, 나는 다를 것이라는 과한 자신감으로 함께를 선택한다.

양갱이

우리가 동물들과 행복할 수 있었던 이유는 어리석은 결정이 특기인 내가 있었기 때문이다. 책임감도 없고, 대책도 없이 충동적으로 멍청한 선택을 하는 것이 내 특기다.

우리집에서 가장 카리스마 있는 존재이자, 버버리 갈색 고양이였던, '양갱이'를 처음 만난 것은 20대 중반이었다. 나이를 먹을 만큼 먹고도 책임감을 배우지 못해서 저질렀다. 2달도 안 된 친구네 고양이를 덜컥 받아왔다. 20대의 나는 반지하와 옥탑 중에서도 가장 질 낮은 자취방을 전전하고 있었고, 당장 내일을 계획할 여유도 없었다. 자취방에 살면서 한 번도 동물을 키우겠다는 생각을 해보거나, 키우고 싶다고 생각해 본 적이 없었다. 물론 나에게도 나름의 복잡한 사정이 있어서 변명거리가 없는 것은 아니었지만, 멍청한 20대의 변명은 어떤 사유든 무책임했다.

나보다 더 무책임했던 친구는 해맑게 웃으면서 내가 좋아했던 간식 이름으로 고양이 이름을 지어주고, '양갱이'를 잊어버렸다.

처음 만났을 때 양갱이는 500g이나 나갔을까? 조막만 한 아기고양이었다. 평생 동물을 키워 본 적 없었던 나는, 손바닥 위에 올라가는 조그만 고양이가 무서워서 잠도 제대로 못 자고, 한번 안아줄 줄도 몰랐다. 고양이는 나를 괴롭히려고 자꾸만 침대로 올라와서 불면증에 걸릴 지경이었다. 엄마와 떨어진 아기고양이의 밤이 무섭고 외로웠을 것을 상상도 못 했다. 무엇을 먹여야 하는지, 화장실은 어떻게 가르쳐야 하는지 몰라서 어쩔 줄 몰랐고, 보살핌을 받아야 하는 아기고양이는 제대로 된 음식이나 화장실도 없이 지내느라 고역이었다. 게다가 하루종일 아르바이트를 하느라 이리저리 고양이를 맡기러 뛰어다녔다.

잘못을 하는지도 몰랐고, 알았다고 해도 손쓸 방법도 없었다. 다행히 스스로 포기하기 전에, 동생이 고양이를 보고 빼앗듯 본가로 데려갔다. 양갱이는 그렇게 나로부터 구조됐다.

고양이랑 지내는 며칠간 제대로 자 본 적이 없고, 할 일도 못 했지만, 고작 며칠이었을 뿐인데, 자취방에 정적이 두 배는 짙어진 것 같았다. 항상 피곤에 절어 외로울 새도 없었는데, 가끔 생각났다. 잘못이 있어도 아직 알아채지 못하는 20대의 멍청한 영혼에 양갱이는 처음 죄책감이라는 상처로 남았고, 항상 미안한 이름이었다. 그런데도 제주도에서 함께 살기 위해 10년만에 다시 만났을 때, 양갱이는 아는체도 해주고 잘 지냈냐고, 이제 살림은 좀 나아졌냐며, 발목 사이를 왔다 갔다 하면서 쓰다듬어 주었다.

"어디갔다 이제와.

이제 형편은 좀 나아졌어?"

" 안 만지고 버티기 대결

"

세상 누구보다,
젤로 사랑해 줄게.

💬 안 만지고 버티기 대결

제주도에 산지 일년 쯤 지났을 때, 옆집 해녀 아주머니가 새끼처럼 보이는 작은 강아지 한 마리를 갑자기 데려오셨다. 아마 제주시에 사는 자식들이 키우다가 힘들어서 두고 간 모양이었다. 다짜고짜 키우라고 하시는데, 우리도 이미 마루랑 양갱이를 키우고 있어서 안된다고 거절했다. 해녀 아주머니는 아주 작정을 하고 오셨는지 우리집 앞 도로에 앉아서 한 시간도 넘게 가시지도 않고, 일상 이야기를 좀 하다가, 개를 키우라고 하다가를 반복하셨다. 날이 좀 쌀쌀해서 나무 그늘에 앉아 있는 사람도 추울 지경이었는데, 아주머니가 데려온 강아지는 무서워서인지 추워서인지 가늘게 떨면서 앉지도 서지도 못하고 있었다. 혹시 키우라고 할까 봐 제대로 쳐다보지도 못한 강아지는 애처롭게 작았다. 마음 같아서는 얼른 들고 열심히 쓰다듬고 이뻐해 준 다음에 아주머니께 돌려주고 싶었지만, 버텨야 했다. 쳐다봐도 지고, 만지면 무조건 진다.

안쓰러운 생각이 들었지만, 동물 세 마리를 감당할 자신이 없어서, 단호하게 거절하고 있었다. 한 시간 넘게 길에 앉아 있었더니, 내가 춥고 피곤해졌다. 차라리 아주머

니가 다짜고짜 강아지를 두고 집으로 가시면 좋겠다는 생
각이 들었지만, 아주머니는 도시 사람들이 생각하는 시골
아주머니처럼 시시콜콜 참견하거나, 다짜고짜 떠다미는 사
람이 아니었다. 포기를 모르는 간곡한 부탁을 하러 오셨
고, 키우겠다는 대답을 들을 때까지 버틸 작정이셨다. 강
아지를 들이는 것은 시원한 대답도 없이 어떻게 떠밀려서
할 수 있는 일이 아니라는 것을 잘 알고 계셨다. 결국 또,
책임감 없고 어리석은 내가 키우겠다고 강아지를 받아줬
다. 아주머니는 귀찮은 강아지를 적당히 괜찮은 집에 떠넘
겨서 좋았고, 나는 궁금함을 참고 쳐다보지도 못하던 강아
지를 맘껏 쓰다듬을 수 있어서 일단은 좋았다. 앞으로는
어떨지 모르지만, 그 순간에 아주머니와 나는 시원한 마음
으로 돌아갔다. 그 자리에서 서글픈 영혼은 강아지뿐이었
다.

양갱이보다 작은 이 강아지는 겨우 1kg를 넘었고, 아주
새끼강아지도 아니었다. 강아지를 키우고 있기는 했어도,
우리가 본 개라고는 돌아다니는 똥개들과 마루밖에 없어
서 이 개가 성견인지 새끼인지도 몰랐다. 심지어 샴고양이
처럼 보이는 개는 처음 봤다. 강아지는 잔뜩 주눅이 들어
서 움직이지도 않고 눈동자만 굴리고 있었다.

젤로

젤로가 막 집에 왔을 때는 충격적인 상태였다. 우리집에 데려다주기 위해서였는지 미용은 깔끔하게 되어있었는데, 성대 수술을 한 것처럼 제대로 짖지도 못하고, 겨우 1.3kg이었다. 처음에 방석 위에 올려줬는데 얼마나 겁을 먹었는지 방석 위에서 꼼짝도 못 하고 죽은 듯이 붙어 있었다. 너무 작아서 만지기도 애처로왔다. 두려움에 벌벌 떠는 것도 아니고, 기력 없이 자포자기한 눈빛을 보고 작아도 새끼가 아닌 것을 짐작했다. 병원에 가보니 6~7살 사이의 요크셔테리어라고 했다. 무슨 일이 있었는지 코와 귀에 털이 하나도 없어서 얼굴이 까만 샴고양이처럼 보였다. 다행히도 딱히 건강에 문제가 있던 것은 아니었다.

이 불쌍한 더부살이 개를 가족으로 받아들이기 위해서 양갱이랑 같은 종류의 이름도 지어줬다. 양갱이는 전통 젤리니까 서양 젤리에서 이름을 따오기로 했다. jelly와 jello 중에서 더 귀여운 '젤로'로 하기로 했다. 우리말로 '제일로'랑 발음이 비슷해서, '제일로 사랑 많이 받으라'는 뜻이었다. 젤로까지 나의 어리석음 덕분에 세 마리 동물과 함께 살게 되었다.

10살 한국 토종 고양이 '양갱이', 암컷, 4kg,

1살 골든리트리버 암컷 '마루' 30kg,

6~7살로 추정되는 암컷 요크셔테리어 '젤로' 1.3kg.

나이며 체급, 성격까지 비슷한 구석이 하나도 없었다.

모두 어리석은 선택이 맞았다. 우리의 오늘이 내일과 같이 평온할 것이라는 멍청한 확신, 누군가의 생명을 책임 질 수 있다는 오만, 함께라면 더 행복할 것이라는 아둔한 낙관론이 우리를 함께로 만들었다. 어리석음에는 책임이 따르지만, 생명은 언제나 예측할 수 없이 아름답다. 나는 겨우 5년 남짓 제주도에서 동물들과 함께 살고, 남의 개 고양이 이야기를 뻔뻔하게 쓰고 있다. (물론 엄마의 개, 고양이 이기는 하지만, 내가 결국 동물들을 책임지지 않고 떠난 것에 화가 난 내 동생은 젤로의 마지막을 보여주지 않았다. 책임지지 못한 사람도 슬퍼도 된다면, 후련하기라 도 했을텐데. 슬퍼할 자격이 없었다.)

누구나 쉽게 예상할 수 있듯이, 우리는 한 치 앞도 내 다볼 수 없었고, 평온한 날들은 순식간에 지나갔다. 어려 운 일이 생길 때마다 해치워야 할 일들 앞에서 세 마리나

되는 동물들을 관리하는 것은, 물론 신경 써야 할 것이 많았다. 그런데 힘이 되었다. 바쁘면 틈을 내서 개, 고양이를 관리해야 했고, 더 바쁘게 움직여야 했다. 무기력해질 틈을 주지 않았다. 어려움 앞에서 동물들은 말 그대로 손을 잡아주고, 온기를 나눠줬다. 함께라서 불행이 피해가지는 않았지만, 확실히 사람과 함께 보다는 동물과 함께가 행복했다.

어리석은 선택 덕분에 우리집에서 가장 작고, 용맹한 보석이었던 젤로를 지금 기억할 수 있다. 젤로는 특히나 나를 사랑해주었다.

"집은 내가 지켜줄게, 걱정마.

그리고, 젤로 사랑해 줄게"

너의 과거는

우리의
구원이 되어줘.

🍌 숨겨진 기능

젤로는 도대체 어디서 뭘 하다가 왔는지 알 방법이 없었다. 젤로를 주고 가신 해녀 아주머니는 제주도 사투리를 많이 쓰셔서 하시는 말씀의 반 정도밖에 알아듣지 못했다. 그나마도 평소에 만날 일이 없어서 꼬치꼬치 캐물을 시간도 없었다. 처음 왔을 때 젤로는 귀와 코에 털이 다 빠질 정도로 영양 상태가 안 좋고 깡말라 있었지만 금방 회복했다. 며칠이 지나자 눈치도 점점 덜 보고 활발해졌다.

젤로는 어딘가에서 잘 키우던 강아지를 잃어버렸거나 버린 것 같았다. 배변훈련도 잘되어 있었고, 손, 앉아는 물론이고 '빵' 쏘면 죽는시늉을 하는 훈련까지 되어있었다. 마루도 '빵'을 가르치기는 했지만, 간식이 웬만큼 마음에 들어야 귀찮아하면서 겨우 죽는 시늉을 해준다. 젤로는 손가락 총을 열 번을 쏴도 매번 귀엽게 죽는 시늉을 해준다. 매일같이 젤로의 새로운 숨은 기능을 찾겠다고, 분주하게도 귀찮게 했다.

심심할 때마다 어디서 뭐 하다 왔기에 못 알아듣는 말이 없고, 용맹하며, 제대로 훈련을 받았느냐며 과거를 물었다. 할 수 있는 능력을 다 보여 달라며 사정했지만, 젤로는 우리가 명령어를 불러서 찾아낼 때까지, 무엇을 할 수 있고, 무엇을 할 수 없는지 먼저 말해주지 않았다. 우리가 새로운 명령어를 생각해 내서 '점프', '돌아' 같은 기능을 찾아내면, 그때서야 **'결국, 알아내고야 말았군'** 하는 표정으로 할 줄 아는 숨은 기능들을 보여줬다. 적어도 젤로는 우리보다 주인 경험이 많은 것 같았다. 강아지 훈련을 해 본 것은 마루가 전부라서, 고작 '돌아' '기다려' 정도를 하고 나면 레퍼토리가 금방 떨어져서 뭘 더 시켜봐야 할지도 몰랐다. 그에 반해서 젤로는 차를 타는 것을 이미 좋아했고, 덩치만 큰 하룻강아지 마루를 혼낼 줄도 아는 연륜을 보여줬다. 몇 살인지, 어디서 왔는지 모르는 젤로의 과거는 미스터리 한 퀴즈가 되었다. 산책할 때마다 우리는 젤로의 과거를 만들어내기 시작했다.

너의 과거는

어느 날은, 젤로와 우리는 같은 날 제주에 도착했는데, 제주에 반해서 주인을 따돌리고 눌러 살기로 결정한 모험 이야기가 되기도 하고, 다음날은, 제주도까지 와서 젤로를 버리고 간 주인을 기다리는 슬픈 사연의 주인공이 되기도

젤로

한다. 꽃피는 봄에는 운명적인 사랑을 따라가다가 주인을 잃어버린 러브스토리의 주인공으로 만들기도 했다.

산책 내내 젤로의 과거를 수백 번 만들었다. 액션물의 집 지키는 전투견 '테리어'였다가, SF영화의 모르는 것이 없는 박사님 옆에서 사고를 치는, 미워할 수 없는 '요키'이기도 했다. 결말은 항상 운명적으로 우리를 만나서 제주도를 정복하는 것으로 끝이 났다.

나의 과거는?

젤로를 만나기 전에는 유기견을 데려온다는 것, 과거를 모른다 것은 걱정되는 일이었다. 많이 아플지도 모르고, 사나운 개일지도 모른다는 막연한 두려움. 그 두려움을 핑계로 새끼강아지를 사는 죄책감을 덜었다. 그런데, 알아도 바꿀 수 없는 것은 많다. 우리는 스스로의 과거를 훤히 다 알지만, 우리는 백점이었던가, 우리 과거를 다 아는 부모님이 **'다시 우리를 기를 것인가'**를 질문해 보면 답이 나온다. 거기에 몇 가지 질문을 추가하면, '아기강아지를 살 것인가'라는 질문에 더 쉬운 답을 얻을 수 있다. 내 몸 하나 건사하지 못하면서 '아기강아지를 위해 더 부지런해질 자신이 있는가?' (새끼의 가장 큰 특징은 새벽같이 일어나서 밥 달라고 조르는 것이다. 이것은 백이면 백 다 그렇다.)

젤로를 키우기 전에 유기견 입양을 생각해보지 않은 것은 아니었다. 개를 키워본 경험이 없어서 성견을 데려오면 안 될 것 같았다. 사납거나 아플까봐 걱정했는데, 젤로와 살아보니 경험이 없어도 성견을 데려오는데 큰 문제가 있을 것 같지는 않다. 휴일에 조카를 대신 봐줘야 한다면, 유치원생 조카를 대신 봐주겠는가? 아니면 고등학생을 봐주겠는가? 아기강아지는 유치원생 아이처럼 봐줘야 한다. 하루종일 칭얼대고, 제멋대로면서, 먹을 것도, 화장실도 모두 챙겨줘야 한다. 어린 강아지는 동물병원 갈 일이 한동안 많고, 비용도 많이 든다. 반면에 전혀 훈련이 안 된 성견이라 하더라도, 고등학생 같은 구석이 있다. 이제 좀 차분할 줄도 알고, 밥 정도는 알아서 챙겨 먹을 수 있고, 화장실도 어딘지 한두 번만 알려주면 된다. 하루종일 따라다니지도 않고, 말귀를 알아듣는다. 평화로운 일상을 꿈꾼다면 괜찮은 선택이다.

유기견 보호소도 이런 입양자들의 고민을 잘 안다. 그

래서 건강상태를 체크해 주기도 하고, 요즘은 지자체에서 중성화 비용이나 초기 미용비용, 물품 구입 비용을 지원해 주기도 한다. 보호소는 생각보다 선택지가 다양하다. 갓 태어난 새끼 강아지에서부터 고양이, 품종견, 성견 온갖 종류의 개들이 다 들어오고, 공고도 인터넷을 통해서 이뤄 진다. 시간을 들이면 원하는 외모나 품종견도 충분히 고를 수 있다.

누군가의 구원

누군가의 구원이 된 적이 있는가? 생명의 은인이 되거 나, 백마 탄 왕자가 되어준 적이 있나? 살면서 누군가의 생명을 구할 수 있는 가장 쉬운 방법이 입양이다. 아직도 젤로가 온 첫날이 생각난다. 강아지에게서 절망을 볼 줄은 몰랐는데, 그날의 젤로는 두려운 것이 아니었다. 모든 것 을 자포자기한 상태였다. A4 한 장 보다 작은 방석 위에 서 먹지도 듣지도 않고 있었다. 간식을 올려줘도 쓰다듬어 줘도 반응이 없던 젤로의 절망을 잊을 수 없다. 동물들은 사람들이 생각하는 것 보다 자신의 처지를 잘 안다. 누군 가를 절망에서 구원할 수 있다면 손 내밀지 않을 사람이 있을까?

강아지를 입양할 계획이 있다면 지자체에서 운영하는 유기견 보호센터를 방문해 보는 것도 방법이다. 사랑은 운명처럼 만나고 운명은 우연처럼 온다. 살면서 잘한 일, 착한 일이라고 자신하는 일이 몇 개 없는데, 젤로를 우리 삶에 받아들인 것은 가장 잘한 일이었다. 온갖 풍파를 다 겪은 젤로는 사람도 들어주지 못하는 온갖 하소연을 다 들어주었고, 곱게 자란 마루랑은 다르게 나만 예뻐해 주는 껌딱지였다. 내 편을 꼭 같은 종에서 구하려고 할 필요는 없다.

우리가 젤로를 구해줬다고 착각했지만, 젤로는 유일하게 우리집을 지키는 용맹한 테리어였다. 덩치가 크던, 작던 다른 개들을 다 물리치고, 손님들에게는 살갑게 애교를 부리면서 환대하는 얼굴마담이었다. 손님이 조금이라도 무례 할라치면, 단호하게 주인의 기를 살려주는 약삭빠른 내 편이었다.

젤로

"우리의 구원이 되어 주세요"

태풍보다 차가운 "

"

외롭고,

두려워, 우리도 똑같이

🟥 태풍보다 차가운

친척 집에 놀러 갔더니 새끼 강아지를 막 데려와서 뙤약볕에 묶어놨다. 젊은 부부인데, 아이가 졸라서 강아지를 데려온 듯했다. 강아지를 구경하겠다고 나갔는데, 이제 두 달이 겨우 된 강아지 밥그릇에 물러서 상해버린 딸기가 들어있었다.

상한 음식이 든 개 밥그릇을 보자, 과거의 잘못을 들킨 것 같아 가슴이 답답해졌다. 양갱이를 처음 만났을 때 내가 그랬다. 이제 두 달도 안 된, 아마 500그램을 겨우 넘었을 새끼고양이에게 먹다 남긴 통조림 옥수수를 우유에 섞어줬다. 양갱이는 사료를 처음 먹기 시작할 때였고, 식욕이 왕성해서 주는 대로 다 먹었다. 맛있어하는 줄 알고 멍청하게도 내가 먹을 것까지 줬다. 사료도 있었는데 왜 그랬을까. 양갱이는 거의 이틀을 소화도 안 된 옥수수를 토하고 쌌다. 아기 고양이는 그러면 죽을 수도 있는데 양갱이는 고맙게도 토하면서도 씩씩하게 사료를 잘 먹어 치웠다.

한동안 동물은 남은 음식, 상한 음식, 뼛조각을 먹어도 되는 줄 알았다. 예전에 어른들은 남은 음식에 맛있으라고 국물을 부어서 강아지들 밥으로 줬다. 사람 먹을 음식도 넉넉하지 않을 때라서 어쩔 수 없었지만, 나처럼 무지한 사람들이 아직도 많이 있다. 마루를 키우기 전까지 개들은 고기 말고 뼈를 더 좋아하는 줄 알았으니까.

쓰레기를 먹을 수는 있지만 먹고 싶지 않은 것은 동물도 인간도 똑같다. 그런 것도 모를 정도로 나는 멍청하고 무관심했다. 사람이나 동물이나 아기는 연약하고 보살핌받아야 한다는 사실도 배워야 안다. 동물들은 다 아는, '아기는 동물 아기든 사람 아기든 살뜰히 보살펴야 한다.'는 사실을 똑똑하고, 합리적인 인간만 모른다.

실외견이 되던 날

마루를 막 데려왔을 때, 마루는 우리와 함께 집안에서 지냈다. 두 달짜리 강아지를 귀여워하지 않을 사람이 누가 있을까? 엄마는 애초부터 강아지를 밖에서 키울 예정이었지만, 귀여운 강아지를 당연히 데리고 자는 우리를 보고 말을 꺼내지 못했다. 사람들은 다 새끼 동물들을 좋아하지만, 부지런하게 새끼를 돌보는 것을 다 좋아하지는 않는다. 그리고 모든 새끼는 항상 배고프다. 마루는 해뜨기 전부터 일어나서 우리를 깨웠고, 사람들이 일어나지 못하는 사이 소소한 사고를 쳤다. 일주일쯤 지나자 온 가족은 수면 부족에 시달리고, 가지고 있는 모든 이불을 강아지 오줌 때문에 빨아야 하는 지경이 됐다. 그때까지만 해도 나는 금새 서울로 올라갈 예정이라서, 엄마 개를 엄마 마음대로 한다는데, 토를 달 수 없었다. 오히려 실외견으로 키우려면 우리가 있을 때 빨리 내놓으라고, 그래야 문제가 생기면 훈련도 하고, 수습할 수 있다고, 당장 내보내라고 종용했다. (나는 어떻게 똑똑하게 멍청한 선택만 매번 하는지 놀랍다.) 그렇게 딱 일주일 만에 이제 두 달밖에 안 된 강아지는 실외견이 됐다.

그날 밤, 우리는 오늘부터는 늦잠 잘 수 있겠다면서 일찍 잠자리에 들었다. 그러나, 똑똑한 우리 마루는 밤새 하울링을 했다. 우리 집에 와서 몇 번 짖은 적이 없어서 조용한 강아지인 줄 알았는데, 놀랍게도 두 달밖에 세상을 모르는 하룻강아지가 도합 100살을 넘은 사람들을 밤새 훈계했다.

'한 켠을 내주는 것이 그토록 어려운 일이냐'며,

'아기를 아기로 봐주는데, 사람과 동물이 따로 있는 것이 말이 되느냐'며 혼냈다. 신기하게도 마루는 낑낑거리며 울지 않았다. 큰소리로 또박또박 우리를 혼낼 뿐이었다. 우리는 앞으로를 위해서 다시 집안으로 들여주지는 않았지만, 그날도 잠을 못 잔 것은 마찬가지였다. 귀여운 강아지를 쓰다듬으며 잠드는 대신에 불편한 마음으로 지세우게 되었다.

세상의 규칙을 정하는 것도 인간이고, 집안의 규칙을 정하는 것도 사람이다. 멍청한 규칙을 고집스럽게 밀고 나가는 것 역시 사람이었다.

물론 모든 강아지가 집에 살아야 한다는 것은 아니다. 집 안에 사는지, 밖에 사는지보다 함께 얼마나 많은 시간을 보내느냐가 더 중요하다. 다만, 원칙을 정해서 강아지를 헷갈리게 하거나 기다리게 하면 안 되는 것 같다. 밖에서 사는 것이 억울해지지 않도록.

태풍 치던 밤

섬에 살면 그제야 태풍의 위력을 알게 된다. 날아다닐 수 없는 것들이 날아다니고, 21세기의 우리나라에서 쉽게 정전을 경험하게 된다. 큰 태풍이 온다는 예보가 있으면 제주 사람들은 (시 지역에 살면 안 그럴지도 모른다.) 단전과 단수에 대비해 랜턴을 충전하고, 욕조 가득 물을 받아놓고 식수도 미리 받아놓는다. 그렇지 않으면, 냇가로 물을 뜨러 나가게 될 수도 있다.

제주도에 있을 때는 태풍이 오면 마루는 나와 함께 집 안에서 잤다. 3년쯤 지나서 더이상 제주 집에 내가 없을 때, 엄마는 태풍이 와도 마루를 밖에서 재웠다고 한다. (물론 태풍을 피할 수 있게 충분히 집도 자리 잡아주고 지붕 아래 안전한 곳에 뒀다) 그러면 마루는 집을 놔두고 가장 구석진 곳에 들어가 흙 속에서 떨고 있었다고 한다. 아무리 개집이 안전한 곳에 있어도 비바람 소리, 천둥 번개 소리만 들어도 그 밤은 지옥 같았을 것이다.

엄마의 변도 이해는 간다. 집안에 들여다 놓아도 태풍 소리에 초조해서 가만히 있지를 못하고 자꾸 나간다고 했다가 다시 들어온다고 했다가를 반복했다. 태풍 치는 밤 공포로 혼자 떨던 기억 때문에 초조함을 떨칠 수가 없었을 것이다. 다행히 몇 번만 그랬고, 이후에는 집으로 데려와서 재웠다고는 하지만 내 개가 아니어서, 책임질 수 없어서 다시 미안했다.

　동물은 본능적으로 다 괜찮을 것이라고 믿는 태풍보다 차가운 심장을 가졌다. 그래도 엄마는 마루를 끝까지 키운 책임을 다한 견주였다. 나처럼 말만 많은 구경꾼이랑은 차원이 달랐다.

　"우리도 똑같아, 외롭고, 두렵고,

　그냥 견딜 뿐이지"

크고 아름다운 꿈　"

"

나도 좋아!

🎵 소중하게

사실 골든리트리버를 데려오는 매우 합리적인 소비는 우리에게는 오랜만의 사치에 가까웠다. 인터넷을 다 뒤져서 고른 가성비 있는 골든리트리버는 명품에 맞는 대우를 해줘야 한다.

품종견은 믹스견과 다르다. 아름답다고 정해진 외형이 있고, 혈통도 따진다. 우리는 혈통 같은 것을 따지는 사람들은 아니라서 가정견을 데려왔지만, 골든리트리버는 이제 막 시작한 전원생활을 명품으로 만들어 줄 상징적 존재다. 우리의 삶을 가꾸듯이 이 골든리트리버도 소중하게 가꿔나가야 했다.

매일 조금씩 시간을 내서 강아지를 키우는 방법을 공부했다. 훈련법에서 견종의 특징, 좋은 사료까지 꼼꼼하게 알아봤다. 골든리트리버는 체고 50~60cm 체중 25~40kg의 대형 견종으로 금빛 털이 아름다운 똑똑하고 천사같은 견종이다. 천사를 살 수 있는 자본주의에 감사할 따름이다.

크고 아름답게 키울 의무

강아지에 대해서 아무것도 몰랐기 때문에 어떤 것을 먹

여야 하는지 먹이면 안 되는지, 사료는 어떻게 줘야 하는지를 공부해야 했다. 인터넷에는 온갖 꿀팁이 넘쳐났다. 강아지 성장에 좋다는 사료, 간식들을 공부하고 구매했다. 강아지도 아이들처럼 성장 시기에 따른 '성장분포표' 같은 것이 있는데, 그것을 보면서 우리 강아지가 상위권의 크고 건강한 상태라는 것을 그때그때 확인했다. 그 표 때문이었을지도 모른다. 강아지도 각 개체마다 신장과 체중이 차이나게 성장하는데, 사람들이 키 큰 사람을 선호하듯이 대형견 견주들은 크고 체중이 많이 나가는 강아지로 키우려고 노력했고, 소형견 견주들은 작고 귀여운 상태를 유지하기 위해 노력했다. 강아지 까페에 게시판은 성공담과 자랑으로 넘쳐났다. 내가 키우는 강아지를 크고 아름답고 건강하게 키우는 것은 어쩌면 견주의 의무였다.

다행히 품종의 외형을 유지하기 위해 골든리트리버는 꼬리를 자르거나 귀를 잘라서 세우지 않아도 됐다. 잔인하기 짝이 없는 방법으로 품종의 외형을 유지하는 견주들의 속된 마음을 비난했다. 우리는 그런 사람이 아니었다. 이제 가족이 된 조그만 금빛 털 뭉치가 행복하게 우리와 함께 하면 된다. 그것이면 된다.

붉고 신선한 생 오리뼈

우리의 목표는 건강하고 행복하게, 이왕이면 크고 아름답게 성장할 수 있게 돕는 것뿐이다. 성장에 좋다는 생오리뼈를 급여 하기로 했다. 생오리뼈는 오리 훈제 같은 가공식품을 만들고 남은 뼈를 판매하는 것이다. 살이 하나도 없고 피 때문에 시뻘건 오리의 몸통뼈만 상자 가득 10~20kg 사이로 냉동해서 배달해 준다. 그러면 시뻘건 오리뼈를 각각 한 마리나 반 마리씩 잘라서 꺼내기 좋도록 냉동실에 소분해 놓는다. 그러면, 냉동실은 투명 봉지 속에 든 검붉은 오리뼈들이 가득 차서 잔혹해 보이기까지 했다. 도살자의 냉동실처럼 시뻘겋게 가득 채우고 나면 든든한 마음이 들었다. 한동안은 우리 강아지가 잘 먹고 잘 클 수 있는 증거였다. 생식은 강아지 성장에 단백질과 칼슘을 공급하는데 좋다고 했다. 강아지도 좋아했다. 한 5개월 무렵부터 오리뼈를 주기 시작했던가 싶은데, 순하디 순했던 강아지는 오리뼈를 먹는 동안에는 이를 드러내며 사람이 가까이 오는 것조차 싫어했다. '우드득' 소리를 내면서 한동안 오리뼈를 먹고 나면 세상 행복한 얼굴로 다시 천사로 돌아왔다.

어느 날 동물병원에서 오리뼈 이야기가 나왔다. 강아지

를 건강하게 키우려고 생식을 하는 중이라고 자신있게 말
했는데, 수의사 선생님께서 생식으로 왜 피맛을 알려주냐
고 하셨다. 도시에서는 모르지만 시골에서는 사냥본능을
일깨울 수 있다는 것이다. 기생충 감염 등 여러 가지 우
려도 있다며 중단을 권하셨다.

사실, 그때쯤에는 생식 사료 값도 슬슬 부담되기 시작
했었다. 우리 먹을 것은 세일 하는 것으로 사 먹어도, 강
아지를 위해서는 아낌없이 비용을 지불했었다. 수의사님의
조언 때문인지 비용의 부담 때문인지 우리는 생식을 중단
하기로 했다. 생식을 주면 침을 흘리면서 좋아했지만 강아
지는 생식 말고도 맛있는 것이 매우 많았고, 먹을 것 때
문에 우리에게 으르렁 거리는 일도 없어졌다.

우리가 큰 키를 선호하는 것처럼 강아지도 크고 아름답
게 성장하는 것을 강아지도 원했을까? 주인에게 으르렁거
리던 것은 맛있는 만큼 더 행복해서였을까? 크고 아름다
우면 더 행복한 것은 강아지였을까 나였을까?

마루, 젤로, 양갱이는 원래부터 아름다웠다. 강아지뿐
아니라 모든 살아있는 것들은 그저 아름답다.

"크고 아름다운 것? 먹는 거야?"

두 번째 처음

,,
세상 사는 맛?
고기!

🎧 두 번째 처음

동물의 입맛에 대해서는 의견이 분분하다. 고양이는 단맛을 못 느낀다느니, 강아지는 맛보다는 냄새가 중요하다느니, 심지어는 동물도 맛을 느끼느냐는 질문을 하는 사람도 있다. 우리는 그만큼 동물을 모른다. 가장 가까운 개나 고양이에 대해서도 잘 모른다.

새끼 강아지와 함께 사는 것은 모든 것을 처음으로 하는 것을 함께하는 것이다. 우리가 기억하지 못하는 스스로의 처음을 지켜보는 느낌이 든다. 처음 먹은 수박이나, 난생처음 고기를 먹었을 때가 언제인지 기억하는 사람은 없지만, 2달 된 강아지와 같이 살면, 세상을 처음 만나는 기쁨을 다시 느낄 수 있다. 언제부터인지 모르게 시큰둥 해져버린, 바다 풍경이나, 출근길을 서둘러야 하는 귀찮은 눈오는 날도, 처음 마주했던 그때처럼 다시 새로워진다. 이 좋은 것에, 왜 익숙해져 버렸을까. 온갖 시름을 다 가져가는 철썩이는 화이트 노이즈를 들으러 가자며 바다로 데려가고, 부리나케 일어나서 새 눈에 발자국을 만들러 나가야 하는 눈 오는 날에도 내가 더 설렌다. 처음을 두 번째로 맞는 행운을 얻었기 때문이다. 그동안의 노하우를 살

마루

려서, 철썩거리는 파도의 박자를 억지로 놓쳐서 개들을 물에 빠뜨리기도 하고, 눈사람을 만들어서 먹여주기도 하면서 마루와 젤로는 기억하지 못할 처음을 내가 대신 담는다. 처음을 두 번째로 맞는 축복을 얻었다. 기억나지 않았던 나의 첫 바다, 첫 눈을 강아지들이 다시 돌려줬다.

가장 먼저 배운 단어 '토마토'

그래도 '처음' 중에 제일 좋은 것은 처음 먹어보는 신기하고 맛있는 것이다. 어릴 적 달고 사각사각한 것이 과일인 줄 알았는데, 자동으로 껍질이 벗겨지고, 삶아진 것 같은 바나나는 천상의 맛이었다. 처음 맛본 바나나의 부드러운 단맛은 단번에 어린 나를 홀렸다. 마루의 세상에는 아직 사료밖에 없었다. 마루는 아직 사는 맛을 모르는 하룻강아지가 맞았다.

골든리트리버는 개들 중에도 식탐이 많은 편이다. 세상에 먹어본 음식이 사료 뿐일때도 밥 먹는 시간은 항상 행복해했다. 그런 행복을 되도록 오래 누리게 해주고 싶어서 맛없는 과일부터 천천히 알려주기로 했다. 사료 말고 처음 먹은 음식은 토마토였고, 처음 배운 인간의 단어도 토마토었다. 토마토는 너무 맛있어서 자다가도 벌떡 일어나게 만드는 마법의 단어였고, 끝없이 이어지는 귀찮은 훈련도 참아내게 할 만큼 살맛 나는 단어였다.

토마토를 들고 있는 내게 펄쩍펄쩍 귀를 흩날리면서 뛰어오던 아기 강아지가 아직도 눈에 선하다. 세상의 맛을 이제 좀 알겠다는 그 눈빛을 잊을 수가 없다. 나는 음흉하게도 한동안 토마토만 주면서 훈련도 하고, 순진하게 설레는 표정을 즐겼다. 그 다음에는 수박을 줬는데, 수박은 토마토와는 비교할 수도 없는 천국같은 맛이었다. 첫날은 껍질까지 다 먹어치우는 마루를 말릴 수가 없었다. 바나나도 첫날은 껍질까지 다 먹어치우는 것을 간신히 말려서 껍질 일부를 뺏을 수 있었다. 마루 덕분에 시큰둥했던 세상의 달콤한 맛이 어렴풋이 기억났다.

"강아지는 사람이랑 미각이 다른가 봐,

왜 뼈다귀를 더 좋아할까?"

강아지에게 줄 고기를 손질하다가 동생에게 물었다.

"개도 고기를 더 좋아해, 없어서 못 먹지.

고기는 사람이 먹고 뼈만 주니까."

동생은 세상 저렇게 멍청하고, 타인을 공감하지 못하는

사람은 처음 봤다는 듯이 경멸하는 표정으로 대답해줬다.
아..... 나는 나밖에 모르는 멍청이었다.

강아지도 고기를 더 좋아한다. 개밥에 평소에 먹기 힘
든 고기를 얹어주면, 마루는 사료를 먼저 허겁지겁 먹고는
고기는 아껴먹었다. 맨 마지막에 여유를 부리면서 천천히
고기의 맛을 음미했다. 강아지가 맛있는 음식을 아껴먹는
것이 납득이 되지 않아서, 몇 번이나 실험을 해봐도 먹기
싫어서 나중에 먹는 것이 아니었다. 뺏길 걱정만 없으면
편안하게 마지막에 음미하는게 맞았다. 미각이 분명할 뿐
만 아니라 즐기는 법도 알고 있었다. 먹는 것은 동물들에
게도 배를 채우면 그만인 충전이 아니었다. 요즘 사람들에
게는 맛있다는 뜻이 비싸고, 사진이 그럴듯하게 나오는 것
이라고 다시 써야 할 지경이었는데, 맛있는 음식을 음미하
는 식사시간이 소소한 행복임을 오히려 강아지는 잘 안다.

토마토는 결국 찬밥신세가 되었다. 바나나는 통째로 던
져줘도 껍질을 벗겨내고 먹었고, 수박은 빨간 살이 많이
남았는데도 너무 남겨서 깨끗하게 먹으라고 잡아줘야 했
다. 제주도 사는 개답게 귤도 잘 먹었다. 마루는 가리지

않고 앞발로 귤을 잡고 껍질을 벗겨 먹다가 힘들면 애타게 벗겨달라고 졸랐다. 절대 껍질 채 먹지 않았다. 젤로는 많이 먹지는 않았지만, 맛있는 것만 먹었다. 노지귤은 항상 뱉어버렸고, 하우스 귤이나 한라봉, 레드향만 먹었다. 귤 철이면 우리는 마당에 앉아 동네 사람들 눈치를 보면서 귤을 나눠 먹었다. 혹여 강아지에게 아까운 귤을 먹인다고 타박받을까 걱정하면서도 포기하기 힘든 행복이었다.

이내 마루도 젤로도 세상살이가 시큰둥해지기도 하고, 같은 음식도 어떤 때는 잘 먹다가도, 어떤 때는 뱉어버리기도 했다. 모든 것이 다 입맛에 맞지는 않았지만, 그래도 세상에는 아직 맛보지 못한 수많은 것들이 남아 있어서 살맛이 났다. 세상살이는 별 것 아니고 음미하고, 맛보는 것이었다.

"세상 사는 맛은 고기에 있지"

"

개밥의 도토리

"

몰라!
그냥!

🔎 개밥의 도토리

동물을 키우는 것은 새로운 세상과의 다리가 생기는 것과 같다. 미지의 세계를 통역해 줄 통역사가 생긴거다. 온갖 궁금증을 다 강아지가 해결해 줄 수 있을 것 같았다.

동물들끼리는 모두 말이 통할까?, 강아지는 깜깜한데서도 잘 보일까?, 강아지 코는 항상 촉촉할까?, 냄새로 사람의 질병을 알아챌 수 있을까?,매 순간 궁금증이 끊임없이 솟아났다.

도토리묵을 쑨 날도 마찬가지였다. 도토리묵을 보자마자 '개 밥의 도토리'가 생각났다. 세상의 비밀을 또 하나 풀 생각에 온갖 맛있는 것들 속에 도토리묵 세 조각을 숨겨서 줬다. 맛있는 고기들 사이에서 도토리묵은 보이지도 않았고, 항상 식탐이 많아서 급하게 먹느라 쓴 약도 쉽게 먹는 우리 마루는 정신없이 특식을 즐겼다. 멀리서 문제의 답을 기다리던 나도 도토리묵 따위는 잊고 먹는 것을 감상하고 있을 때쯤, 여느 때 보다 훨씬 허겁지겁 먹어치운 식사도 끝났다.

그릇에는 신기하게도 도토리묵 세 알만 남아있었다. 실험은 대성공이었다. 도토리묵이 고기가 아니어서, 아니면

낯선 말캉말캉한 식감 때문에 먹지 않았을지도 몰라서, 남긴 도토리묵을 집어 들고 강아지를 달래기 시작했다. 먹는 시늉도 하고, 치운다고 으름장도 놓고, 맛있는 거라면서 한 번만 먹어달라고 사정도 했다. 몇 번 먹어주는 시늉도 하고 한 개 반 정도는 먹어주지만, 치우든 말든 신경 쓰지 않았다. 밭에 버려진 썩은 무도 잘 먹는데, 이제 막 쑨 따끈하고 보드라운 도토리묵은 흥미가 없었다. 이후로도 우리가 도토리묵을 먹을 때마다 특식과 함께 살짝 섞어서 도토리묵을 줬지만, 언제나 침으로 깨끗하게 설거지까지 한 밥그릇에는 도토리묵만 덜렁 남아있었고, 그때마다 신기해하면서 매번 즐거웠다. 가끔 적극적으로 조르면 마지못해 먹어주지만, 개밥에 도토리는 사실이었다.

개밥그릇에 덩그러니 남아있는 도토리묵이 왜 그렇게 즐거웠는지 아직도 모르겠지만, 동물과 함께 사는 것은 세상의 비밀을 조금씩 들여다보는 것 같은 기분이 들었다.

"세상의 비밀...

몰라, 그냥 싫은 것도 있는 거지"

"

건강하고 완벽한 삶

"

맛을 봐야,
참 맛을 알지

🎵 건강하고 완벽한 삶

일찍 일어나서, 운동으로 아침을 열고, 덜 달고, 간이 약한 샐러드나 과일로 아침을 살짝 부족하게 먹는다. 낮잠을 자고 일어나서 여유롭게 산책을 나갔다가 잡곡밥과 가벼운 반찬으로 점심을 먹으려고 준비했다. 그런데, 배우자가 대낮부터 삼겹살이랑 치킨을 시켜 먹는다.

질 낮고 칼로리만 높은 음식이기 때문에 유혹에 넘어가지 않고, 치킨의 튀김을 벗겨내고 물에 씻은 뒤 몇 점 먹고, 삼겹살은 참기로 했다. 이렇게 완벽한 일상을 유지한 지 3518일째다. 이것이 우리가 동물들에게 선물한 건강하고 완벽한 삶이다.

나는 강아지에게 완벽한 삶을 선물하기를 거부했다. 정크 푸드와 과식, 야식과 인스턴트의 맛으로 생의 기쁨을 나눠주기로 했다. 언제 찾아올지 모르는 인생의 쓴 맛에 대비해서, 요거트의 달콤함을 나눠줬다. 치사하게 내가 대충 먹은 플라스틱 볼을 핥게 해준 것이 전부이지만 우리 개와 고양이는 다른 동물들보다는 달콤한 생을 살았다. 물론 치킨 튀김을 벗겨내고 물에 씻어주기는 했지만, 내가 아는 세상의 맛을 대충 다 맛봤다. 물론 사이다를 처음 짚을 때는 혓바닥을 꼬집는 물에 깜짝 놀라서 점프하기는 했지만 기회는 줬다. 아메리카노는 취향이 아니라고 했고, 회는 적응하기 힘들어해서 살짝 익혀 줬다. 우리는 그래서 사소한 먹거리에도 항상 행복했다.

심지어 킹크랩을 먹어본 고양이 양갱이는 강아지처럼 침을 뚝뚝 흘리며 기다렸다. 다른 고양이는 모르는 인생의 참맛을 양갱이는 알았다고 확신한다.

물론 건강한 삶도 중요하다. 그러나 건강하게 관리해주는 것이 사랑의 크기라고 생각하지 않아도 된다. 우리도 강아지만큼만 많이 걷고 많이 웃고 항상 배고플 수 있다면, 우리도 완벽한 삶을 살 수 있다면, 강아지에게 완벽한 삶을 선물해도 된다.

"괜찮아,

맛을 봐야

인생의 참맛을 알지"

　　굳이 쓰지 않아도 되는 이 글을 편집하면서 빼려다 넣은 이유는 혹여, 어떤 강아지에게 인생의 맛을 알려줄지도 몰라서다. 아둔한 생각일지도 모르고, 얼마 가지 않아서 마음이 바뀔지도 모르지만, 내가 개나 고양이로 환생한다면, 완벽한 삶을 거부한다. 한 300년쯤 더 산다면 모르지만.

"

도둑질 비밀훈련
-되바라진 강아지

"

세상물정 모르게,
되바라지게.

🔎 되바라진 강아지

어느 정도 강아지랑 같이 사는 것의 의미를 이해했을 때, 내 목표는 하나였다. 온실 속 화초처럼 자란 세상 물정 모르는 되바라진 강아지로 키우는 것이었다. 사람은 그렇게 살 수 없지만, 강아지는 좀 마음대로 살아도 된다. 어떻게 해도 개 같다. 상팔자를 가진 강아지의 삶을 누리기를 진심으로 바랐다. 물론 기본적인 매너를 모르는 개로 만들겠다는 뜻은 아니다. '개매너'는 지키되 천방지축 행복한 개였으면 했다. 영영 철 안드는 귀한 막내딸처럼.

우리 개와 고양이들은 그런 내 마음을 잘 알아줬다. 밖에서는 예의 바르고 똑똑한 사회인이지만 집에만 오면 엄마 앞에서 다시 아이가 되는 우리처럼, 천방지축 날뛰어주었다. 덕분에 우리 사이는 좋았다가 싫었다가, 변덕이 죽 끓듯이 제멋대로 서로 사랑했다.

도둑질 비밀훈련

시골 장에 가면 옛날 간식을 길고 큰 풍선처럼 크게 만들어서 싸게 판다. 대부분 뻥튀기나 튀밥 같은 것들인데, 제일 알이 작고 숫자가 많은 튀밥을 사 와서 우리 강아지들을 되바라지게 만드는 '비밀 훈련'을 하는 데 썼다. 큰 볼에다 가득 튀밥을 담아 놓고 처음에는 한두 개씩 자연스럽게 건네다가 어느 순간부터는 내 할 일에 집중한다. 튀밥 그릇은 나에게서 멀지도 가깝지도 않은 곳에 관심이 없는 척 대충 밀어둔다. 다른 일을 하면서 강아지가 튀밥을 훔쳐먹기를 기다린다.

처음에는 절대 훔쳐먹지 않는다. 탄수화물보다 공기가 훨씬 더 많이 든 튀밥 한 알을 달라고 애교를 부리다가, 심통 난 소리로 '흥흥' 거리기도 하고, 살짝 짖기도 하면,

"미안 깜박 잊었어"

연기를 하면서 하나씩 건네준다. 그러면서 의도적으로, 준 것보다 더 많은 튀밥을 바닥에 흘려둔다.

다시 내 할 일에 집중하면, 강아지는 살금살금 걸어가서 조심스레 한 알을 그 자리에서 먹기도 하고, 몇 알쯤 물고 가서 한쪽에서 먹을 것도 없는 튀밥 몇 알을 신나게 씹어먹고 달려온다. 그래도 자기에게 관심을 주지 않으면, 점점 대담해져서 그릇에 있는 튀밥을 겨우 한두 알 살금살금 훔쳐다가 곁눈질로 눈치를 보면서 먹는다. 도둑질 비밀훈련인지도 모르고.

이렇게 우리 강아지를 되바라진 도둑으로 훈련 시켰다. 집에 있는 것은 결국 다 우리 것이라고 알려주고 싶었다. 시간이 지나자 우리 똑똑한 강아지들은 훔쳐먹어도 되는 음식과 안 되는 음식을 귀신같이 알아챘다. 내가 바라던 대로 적당히 되바라지면서도 해서는 안 될 일을 이해해줬다. 나중에 생각해보니 비밀훈련을 하고 싶어 하는 나한테 장단을 맞춰준 것 같다.

도둑질 비밀훈련의 마무리는 항상 입 주변 털에 붙은 부스러기 몇 개를 떼서 입안에 넣어주는 것으로 끝났다. "이런 튀밥 도둑을 봤나, 커서 도둑 될 거야?"

칭찬인지 타박인지 모를 이런 농담도 다 이해하지 않았을까.

"세상 물정 모르게,

되바라지게,

영영 철 안들고

같이 있어줘서"

"고마워"

젤로

"

나도 좋고, 너도 좋은
'사기극'

"

적당히

속여준다.

🎵 순진한 마음으로 아기처럼

젤로는 유기견은 아니었지만, 아무런 정보없이 우리집에 왔다. 정확한 젤로의 나이를 몰랐다. 젤로의 태도를 보고 아주 새끼는 아닐꺼라 예상은 했지만, 젤로는 이제 막 강아지 티를 벗은 1~2살 청소년 강아지처럼 보였다.

개나 고양이외에도 많은 동물들은 아기같은 모습으로 평생을 살아간다. 아마도 털 때문일 것이라고 생각했다. 처음으로 동물병원을 간 날, 수의사 선생님은 젤로의 이빨 상태를 유심히 살피더니, 7~8세 사이 같다고 추정했다. 생각보다 원숙한 젤로의 나이를 보고, '어린애같이 순진한 마음으로 이쁘게 살았나보다'면서 젤로 착하다고 무심코 이뻐해 줬다.

관록의 젤로

함께 살아보니 젤로는 천진하게 영악한 사기꾼이었다. 나이만큼 약게 사는 법도 아는, 사람으로 치면 가장 똑똑한 3~40대 정도를 지나고 있었다. 덩치는 크지만 이제 초등학생 정도인 마루에게, 젤로는 이래라저래라 잔소리도 하고, 혼내기에 바빴다. 한참 위인 양갱이에게는 절대적으로 깍듯한 세상 좀 아는 강아지였다.

젤로는 처음 올 때부터 똑똑했는데, 배변훈련이니, '앉아', '손' 같은 기본 훈련은 다 되어있었다. 우리끼리 간식이라도 먹을라치면, 열심히 졸라대는 대신에 눈에 잘 띄는 곳에 앉아서, 혀를 1cm정도 살짝 빼물고 조용히 쳐다만 보는 관록을 보여줬다. 한 뼘 밖에 안되는 은빛 강아지의 그런 모습을 보고 안 넘어갈 사람은 없었다.

너무 오냐오냐해서인지, 똑똑한 젤로도 어느 정도 시간이 지나면 자꾸 배변 실수가 잦아져서 주기적으로 훈련을 반복 해줘야 했다. 간식과 칭찬의 축제인 훈련을 젤로는 사랑했다. 마루는 간식이 있어도, 앉았다 일어났다를 몇 번 하고 나면 한숨을 쉬면서 철퍼덕 엎드리기가 일쑤였는데, 젤로는 사람이 그만하고 싶어도, 젤로가 만족할 때까지 멈출 수 없었다.

주인이 저렇게 좋아하는데,

나른하고 할 일 없는 오후에 젤로는 쉬러 갔다가 눈을 반짝이면서, 잊었던 보물이라도 찾은 듯 돌아온다. 그러면 오줌 축제가 시작된다. 젤로는 심심하던 차에 배변훈련을 기억해 낸 것이다. 자랑스런 '쉬'를 보라면서, 배변

젤로

판 위에서 사람이 볼 때까지 기다렸다가 볼일을 봤다.

이제부터는 간식 타먹기 배변 사기극으로 바빠진다. 배변판 위에 올라가서 서 있다가 눈을 한번 맞추고는 다시 돌아와서 간식을 내놓으라는 요구를 계속한다. 칭찬으로 얼렁뚱땅 채우는 것 따위로 넘어가 주지 않는 깐깐하고 당당한 요크셔테리어다. 간식을 한참 동안 손톱만한 작은 크기로 수십 번은 받아먹고 서로 지칠 때 쯤 체고가 겨우 20센치, 한 뼘 높이 밖에 안되는 요크셔테리어의 사기극이 끝이 난다.

우리가 되바라진 개로 만들어서인지 거리낌 없이 속이려 들지도 않고 배변판 위에 잠시 서 있다가 돌아와서 의기양양하게 요구하던 그 기쁨에 찬 표정이 아직도 기억난다. 젤로가 가진 가장 나쁜 생각은 이런 천진난만한 배변 사기극 정도가 다였다. 주인이 저렇게 좋아하는데, 간식도 얻어먹는데, 좀 귀찮아도 오줌싼 '척'해줄 줄 아는 닳고 닳은 강아지였다.

순진한 마음이 멈춘 시간

그 뒤로 한 5년쯤 지났나, 젤로랑 다시 동물병원에 갈 일이 있었다. 수의사 선생님이 나이를 물었으나 정확히 모른다고 대답했다. 이 수의사 선생님도 젤로의 이빨을 구석 구석 살펴보면서, 7~8살 정도 되겠다고 알려주셨다. 그새 5년이나 지났는데, 젤로의 나이는 그대로 멈춰 있었다. 그 사이 나는 흰머리도 늘고, 하루하루 나이를 먹어 갔는데, 젤로는 내가 봐도 처음 왔던 날 그 모습 그대로 순진한 표정으로 우리를 더 사랑해 주고 있을 뿐이었다.

언제나 좋은 사람으로 잘 살아보고 싶었지만, 나도 세상을 좀 아는 나이가 되자 나도 모르게 똑똑해지고 약아졌다. 그런 것을 세상을 알게 되었다고 하는 것인지, 똑똑해져서 세상을 알게 된 것인지는 모르겠지만, 젤로는 그대로인데, 나는 얼굴에, 머리카락에 세월이 흔적이 앉았다. 젤로는 '나도 좋고 주인도 좋은 사기'를 쳐도 행복했는데, 나는 모두가 좋은 일을 해도 자꾸 얕은 계산이 자동으로 되는 그런 얕은 사람이 되었다. 내가 봐도 나에게는 더 이상 순진한 빛이 남아 있지 않았다.

동물들은 털 때문이 아니라 똑똑해져도 언제나 순진한 마음 때문에, 영원히 아기 같은 모습으로 산다.

"적당히 속여줄게, 적당히 속아줄게"

,,

제2 외국어

,,

이해하는데도,
노력이 필요하지.

🎵 제2 외국어

강아지는 2달 정도 되면 사람으로 치면 유치원생 정도가 된다. 이때부터 기본적인 배변, 앉아, 기다려 같은 훈련을 시작해야 한다. 첫 강아지를 키우는 주인은 이때 공부가 시작된다. 덮어놓고 아무리 앉으라고 외쳐봐도 앉을리없다. 때문에, 강아지가 알아듣기 쉬운 방법을 주인이 공부해야 한다. 앉는 훈련 정도는 간식을 들고 '앉아'를 외치면 강아지가 눈치로 대충 앉아주기는 하지만, 유튜브를 보면서 따라 하면 훈련이 훨씬 쉬워진다.

유치원생 강아지에게 한국말을 눈치껏 배워오라고 할 수 없으니 주인이 적극적으로 강아지 말을 배우는 수밖에 없는데, 이때를 놓치면 소통은 물 건너가면서 괜히 멀쩡한 강아지를 멍청하다고, 사고 친다고 타박하게 되기 십상이다. 아침마다 짧은 훈련을 했을 뿐인데, 밤톨 만한 강아지가 하루가 다르게 손도 주고, 기다려도 하는 게 예뻐서 열심히 공부했다. 강아지도 나도 점점 말이 통하고 있다는 것을 깨닫는 날들이었다. 내 인생에서 외국어를 가장 열심히 공부한 시기이기도 했다.

인터넷에서 검색을 해보면 강아지 지능 순위를 쉽게 찾을 수 있다. 지능을 판가름하는 기준은 몇 번만에 훈련을 익히느냐는 것이다. 훈련을 3~5번 안에 익히면 가장 똑똑한 부류, 5~20번 안에 익히면 다음으로 똑똑한 부류이런 식으로 분류한다. 골든리트리버와 요크셔테리어 만큼은 이 지능 순위에서 제시한 만큼 반복하면, 신기하게도 알아듣기 시작한다. 골든리트리버는 정말로 3~5번만 반복하면 그 말을 알아들었다. 주인이 강아지 말을 능숙하게 잘 해낸다는 전제에 한해서 그렇다. 사실 '앉아', '엎드려', '기다려' 정도는 주인이 못 알아듣게 알려줘도 대충 눈치로 잘 알아듣는다. 그런데 산책훈련이라던지, 죽은 척하는 '빵'이나 '돌아' 같은 복잡한 동작들은 주인이 공부를 안 하면 가르치기가 힘들다. 이 똘망똘망한 두달 된 강아지는 해 뜨자마자 매일 마주 앉아서 한 가지씩 새로운 동작을 익혀나갔고, 밤이 되면 인터넷을 뒤져서 내일 배울 동작을 가르치는 법을 공부했다. 훈련이 하고 싶어서, 다음날 해가 뜨기만을 기다렸다. 이제 막 동이 터서 날이 밝아지기도 전에 우리는 새로운 동작을 익히면서 하루하루를 보냈다.

제2외국어 공부를 하고 있는지도 몰랐는데, 그렇게 시간을 보내고 나니 어느 날부터는 다른 강아지들의 말도 알아듣게 됐다. 눈빛만 봐도 무슨 말을 하는지, 성격이 어떤지 보였다.

수다 엿듣기

강아지 말만 배운 줄 알았는데, 뭐라고 하는지는 알 수 없어도 새들과 다른 곤충들이 그들끼리 대화한다는 사실도 알게 됐다. 이전까지 새소리는 그저 의미 없는 지저귐이었다. 기껏 이해해봤자, 짝짓기를 위한 구애 활동이라고 외웠었다. 새들이 가장 수다스러운 시간은 이른 아침인데, 동트기 직전 새벽은 구애 활동을 하기에는 새들에게도 너무 이르다. 잠도 안 깼는데, 아침도 안 먹었는데, 사랑 고백을 하는 멍청한 짓은 새들도 할 리 없다.

새들은 사람이 생각하는 것보다 훨씬 스케줄이 바쁘다. 출근 직전에 집에서 세수나 화장이라도 하는지 해뜨기 전부터 일어나서 떠든다. 아마 아침에 세수도 하고 아침도 먹으면서, 각자 집에서 이웃들과 오늘은 어디로 사냥을 갈지, 요즘 같은 철에는 어떤 과일이나 열매를 따먹으러 가야하는지 계획을 세우는 것 같다. 여름밤에 집에 있으면 개구리나 풀벌레들도 제발 조용히 하라고 사정하고 싶을 정도로 떠들어 댄다. 사람이나 차가 지나가면 잠시 숨을 죽였다가도 못 참고 이내 떠들어 댔다. 우리집은 이웃이 멀리 있는 대신에, 새들과 개구리와 풀벌레들의 수다소리로 여전히 도시처럼 시끄러웠다. 인적이 드문 시골에서 언어가 인간만의 것이라는 착각에서 겨우 벗어날 수 있었다. 언어는 인간들만의 것이 아니었고, 수다스러운 것도 사람만 그런 것은 아니었다.

물론 우리 마루도 수다쟁이였다. 강아지들은 가까이 있을 때는 눈빛이나 동작을 보고 의사소통을 하지만, 서로 볼 수 없는 밤이 되면 큰소리로 짖거나 하울링 하면서 잠들 때까지 떠든다. 우리 마을 안쪽 집 개와 마루는 잠들기 전 초저녁에 항상 수다를 떨다 잠들곤 했다. 너무나 궁금해서 누구랑 수다를 떨었는지 확인하려도 가봤는데, 막상 볼 수 있을 때는 개들은 소리가 필요하지 않았다. 사람과는 공유하지 않으려고 은밀하게 꼬리나 몸짓으로 사인을 주고 받았다. 나도 눈치로 대충 누가 동네 수다쟁이 개인지 알았지만, 모른 척 해줬다.

마루

어차피 영어나 중국어를 공부해도 겨우 말이 통하면 다행이고, 반은 눈치로 알아채야 하는 것처럼 동물의 언어도 눈칫밥을 무시할 수 없다. 게다가 언어는 외국인이랑 같이 살아야 쉽게 는다. 아기 강아지를 가르친다고 생각하고 있었는데, 아기 강아지에게 동물들의 말을 배우고 있었다.

외국어를 배워두면 언제나 유용하듯이, 나중에 동물들의 언어를 유용하게 써먹었다. 태국 뒷골목에서 깡패 같은 개 무리를 설득해서 조심조심 도망 나왔고, 모스크바에서는 '왕따'가 된 까마귀를 불러서 한 끼를 대접했다. 인도에서는 심심할 때마다 창가로 원숭이를 불러서 간식을 나눠 먹으면서 도란도란 시간을 보냈다.

옛날 사람들은 동물들과 훨씬 더 가깝게 살았고, 분명 우리보다 훨씬 말이 잘 통했을 것이 분명하다. 콩쥐를 도와준 두꺼비와 새들 이야기는 동화가 아닐지도 모른다.

　　"제2외국어는 언제나 유용해

　　　이해하는데는,

　　　　당연히 노력이 필요하지"

-나는 코로나 기간에 터키의 시골에 락다운으로 두 달 정도 갇혀 있었는데, 내가 있던 곳은 간헐적 락다운을 시행했다. 주말과 연휴를 붙여서 4일동안 아무도 집 밖에 못 나오게 하고, 월요일이 되면 다시 정상적으로 출근할 수 있게 해 줬다. 락다운 하는 날은 새들이 뉴스라도 보는 것인지 사람들이 거리에 나오지 않는 것을 잘 알았다. 아무도 없는 거리에서 하루 종일 새벽녘처럼 새들이 날아다니면서 지저귀어서 온 거리가 시끄러웠다. 사람만 없으면 새들은 원래 하루종일 떠드는 수다쟁이였다.

"

주인을 훈련하는 법

"고기는
생각보다 많은 문제를
해결해줘

🎵 미움받는 서러움

견주가 제 2 외국어를 익혀갈 때면 슬슬 강아지와 산책을 해야 한다. 유소년기에 접어든 골든리트리버의 체구는 큰 고양이 크기에서 토종 진돗개 사이의 크지 않은 체구지만, 힘은 웬만한 성견 못 지않다. 체격이 더 커지는 6개월 이전에 산책훈련을 마쳐야 골든리트리버와 무사히 살 수 있다. 우리는 마당에 강아지를 하루 종일 풀어놓았지만, 하루 두 차례씩 번갈아 산책도 나갔다. 이제 겨우 서로 말이 통하게 된 사이에 조금씩 발맞춰서 하는 산책훈련은 개와 사람이 서로를 훈련시키는 것이다. 문제는 사공이 많으니 산책훈련이 잘 되지 않았다.

가족끼리 돌아가면서 산책을 하다 보니 누구랑 산책할 때는 맘대로 뛰어놀고, 누구랑 산책하면 꼼짝없이 천천히 다녀야 하니까 강아지도 누구 장단에 맞춰야 할지 몰랐고, 있는 힘을 다 끌어모아 하고 싶은 대로 하기 시작했다.

하루는 강아지가 더 커지기 전에 제대로 훈련해야겠다 싶어서 작정하고 산책을 나갔다. 다른 날과 달리 엄격하게 먼저 뛰어나가지 못하도록, 멈춰야 할 때 반드시 멈추도록, 천천히 사람 옆에 따라 걷도록 산책 내내 훈련했다.

아마 그날이 강아지를 가장 엄격하고 단호하게 대했던 날이었던 것 같다. 그날은 한적한 곳에 가서도 줄을 풀어지 않고 맘껏 뛰어다니지 못하게 하고 돌아왔더니 이제 4개월 된 강아지가 단단히 삐져서는 불러도 오지 않고 오후 내내 집안에만 있었다. 다른 사람이 부르면 오는데, 내가 부르면 못 들은 척했다. 산책은 잠깐 좋아졌지만, 사공이 많은 것은 여전했고, 금방 원래대로 돌아왔다. 4개월 된 강아지의 무시는 강아지 훈련의 정답을 알려줬다. 엄격한 태도를 취한다고 규칙이 엄격하게 지켜지는 것은 아니다.

오랫동안 사람들은 말귀를 못 알아들으면 때리거나 강압적으로 제압해야 한다고 생각했다. 처음에는 다른 인종이나, 여자와 아이들을 강압적으로 대했었다. 이들을 열등한 소유물로 생각해서 제멋대로 행동하지 못하도록 폭력과 억압으로 통제해 왔다. 그러나 인류 안에 다른 종은 없고, 여자는 언제나 안식이 되는 어머니이며, 아이들은 어른들의 선생님이었다.

사람이 다른 생명을 소유한다는 것이 가능하기 나한 일일까? 생명에 더 우등한 것 열등한 것이 있기나 할까? 어떤 생명이 더 가치 있고 아름다운지 우리는 판단할 자

격이 없다. 만약 그런 기준이 있다면, 언제나 우리는 부자
들과 권력자들에게 통제당하는 쪽은 우리가 될 것이다.

내가 할 일은 쪼끄만 강아지를 통제하는 것이 아니고,
어떤 태도를 취할 때 내가 좋아하는지 알려주면 된다. 애
초에 내 맘대로 되는 것은 없다. 그날 쪼그만 강아지한테
미움받은 것이 서럽기도 미안하기도 해서, 다음날은 간식
을 잔뜩 가지고 가서 지칠 때까지 놀아줬다. 그렇게 열심
히 산책하는 법을 공부했는데, 간식을 넘치게 주는 것이
훨씬 쉽게 훈련이 됐다. 게다가 나는 사랑도 듬뿍 받았다.
태어난 지 겨우 몇 달 된 강아지 덕분에 나는 함께 사는
법, 부드럽게 설득하는 법을 배웠다. 그날 이후로 우리 강
아지는 항상 원하는 것을 얻었고, 나는 예쁨받는 주인이었
다.

"세상에 마음대로 되는 것은 없지만,
간식은 생각보다 많은 문제를
해결해 줘"

"

새들의 소문

"

그리움은
뒤늦게 이해한
사랑이야.

🔊 소문난 털 맛집

골든리트리버는 털이 풍성한 개다. 일 년 내내 털이 빠진다. 마당에는 뭉쳐진 털뭉치가 항상 굴러다니고, 바람 부는 날에는 우리 집 주위로 하늘하늘 털이 떠올라 하늘로 올라간다. 본격적으로 털갈이를 하는 시즌에는 잔디 위에 마치 거미줄이라도 친 듯 얇게 털이 코팅되어 있고, 사막에 굴러다니는 덤불처럼 동그란 털뭉치가 마당을 이리저리 굴러다녔다. 이런 사정이 동네 새들에게 소문이 났는지 우리 집 마당은 온갖 새들이 몰려들었다. 평소에 좀처럼 보기 힘든 종의 새들도 잠시 몰려와서 털뭉치를 주워갔다. 가끔 날이 좋아서 새들의 활동이 왕성한 날에는 마당의 털들이 깔끔하게 치워져 있을 정도로 마루 털은 새들에게 인기가 있었다. 나는 방 안에 잠복해 앉아서 카메라를 들고 어떤 새들이 털을 훔쳐 가는지 몰래 찍으면서 감상했다. 동박새, 직박구리 참새, 박새 같이 주변에 흔한 새들뿐이었지만, 그전에는 절대 이 새들의 이름을 몰랐다.

새들 덕분에 우리는 젖어서 더러워진 털뭉치 몇 개만 손으로 주워내면 됐다. 나머지 털들은 흔적도 없이 깔끔하게 새들이 다 주워갔다. 새들은 깔끔해서, 더러워진 털은 절대 주워가지 않는다.

새들은 마루 털뿐 아니라, 사료와 물도 노렸다. 마루 덕분에 우리 집에는 언제 와도 사료와 물이 있다는 것을 알았다. 나중에는 간이 커져서 마루가 바로 옆에 있는데도 그 자리에서 물도 먹고, 사료도 먹고 사료통에 똥도 싸놓고 갔다. 그래도 마루는 새들을 쫓거나 위협적으로 굴지 않아서 새똥 치우는 일은 우리 일이 되었고, 똥 묻은 사료는 밭에 사는 참새들 차지가 되었다. 새들과 마루가 말이 통했는지는 잘 모르겠지만, 서로 대충 해치지 않는다는 정도는 알았던 것 같다. 새는 자주 들락거렸지만, 마루가 애타게 사냥하고 싶어 하던 고양이는 절대 오지 않았다.

털뭉치를 새들에게 헌납하는 것 외에도 새들과의 추억은 종종 생겼다. 지붕 틈에 살던 참새 새끼가 떨어지면 짖어서 알려주기도 하고, 얄미운 까마귀가 가까이 와서 놀리기도 했다. 까마귀는 얄밉게 왔다 갔다 하면서 '깍깍' 거리면, 마루는 뭐가 그렇게 약이 오르는지 까마귀한테만은 미친 듯이 짖어 댔다. 까마귀는 심심하면 와서 마루를 놀렸다. 그런 것을 보면 마루와 새들은 말이 통하는 것 같으면서도 안 통하는 것 같았다.

새들의 소문

새들이 항상 만만하게 생각했던 마루가 사라진 것도 금방 소문이 났다. 봄마다 찾아오던 동박새도, 신기한 종류의 새들도 눈에 띄게 줄어들었다. 마루를 놀리던 까마귀가 항상 앉아서 내려다보는 전봇대가 있는데, 마루가 있을 때처럼 '깍깍' 시끄럽게 울지 않고 그냥 조용히 앉아 있다가 사라졌다. 그러다 이제는 오지 않게 되었다. 까마귀는 정말 전봇대에 앉아서 마루를 놀렸던거다.

그리고 이상하게도, 봄 가을 마다 이전과 다르게 지붕 아래는 참새 똥 범벅이 되었다. 지붕 아래에는 기분상 참새가 거의 100마리쯤 살고 있는데, 마루 밥과 물을 그렇게 먹으면서도 새끼를 키울 때, 똥을 멀리 물어다 버렸었던 것을 그제야 알게 되었다. 이제 마루가 없으니 새끼들의 똥을 그냥 바닥에 던져버리는 것이다. 아무리 순해도 새끼들을 위협할지 몰라 경계를 늦추지 않은 것이다. 마루는 도둑한테는 집을 못 지켜도 새똥으로부터는 집을 지키고 있었다. 새들은 겨울을 나면서 따뜻한 마루의 온기를 그리워 했을테고, 나는 봄마다 새똥을 치우면서 마루를 그리워 한다.

"뒤늦게
알게 되는 것들이 있지.
그리움은 뒤늦게 알게되는
사랑이지"

고
양
이

강
아
지
가

당
신
에
게

전
하
고

싶
은

말

"

지키지 못한 자유로운
영혼들에게,

"

부탁할게,

우리의 운명을

🙶 자유로운 영혼들

마루에게는 새들 말고 진짜 강아지 친구들도 있었다. 제주에는 한동안 주인 없는 개들이 많았다. 제주는 개를 키워도 잘 묶어놓지 않는 집도 많았고, 묶어놔도 개 무리들이 집집마다 돌아다니면서 놀자고 꼬시면 쉽게 집을 나갔다. 맘에 드는 집을 발견하면 마당에 드러누워서 며칠이고 버티면 결국 집주인이 밥을 준다. 그러면, 그 집 개로 살기도 하고, 맘 바뀌면 떠나기도 하는 자유로운 영혼들이었다.

제주도는 강아지를 키우기에 좋은 환경이지만, 2010년만 해도 작은 동네였던 우리 마을에는 개를 키우는 사람이 많지 않았다. 제주도 사람들에게 '육지사람'은 아프거나, 돈이 많거나, 개 키우는 사람 중 하나였다. 제주도에서 애완동물은 양식장이나 외딴 창고를 지키는 개가 대부분이었다.

마루에게는 젤로가 있었지만 너무 작은 젤로는 항상 조심스럽고, 까칠하게 혼내도 져줘야 하는 동생 같은 언니였다. 친구랑은 엄연하게 다랐다. 마루에게 친구가 되어준 것이 길에서 사는 강아지들이었다. 애네들은 아침저녁

으로 무리 지어 산책을 다녔는데, 개가 있는 집마다 들어
가서 인사하고, 담 사이로 우리 마루도 구경하다가 갔다.
저녁때 강아지들 무리가 돌아다니는 것을 보면 나는 부리
나케 마루를 데리고 나가서 친구들과 놀게 해 줬다. 덩치
큰 마루를 처음에는 경계하더니 이내 동네 친구가 됐다.

이 개들 무리에는 아침저녁에만 따라다니는 집 있는 개
들도 있고, 길거리 생활이 한참 된 강아지들도 있었다. 웃
긴 건, 인간들과 사는 노하우를 서로 알려주는 것 같았다.
그때는 횡단보도에서 파란불까지 기다렸다가 개들이 길을
건너는 광경을 동네에서 쉽게 볼 수 있었다.

개들의 유전자에도 유행이 있었다. 한참 인터넷에서 유
행했던 허스키 머리에 숏다리 강아지가 동네에 넘쳐나더
니, 다음에는 삽살개처럼 덥수룩한 털의 강아지들로 평정
되다가, 마치 유행 따라 어디서 머리라도 하고 다니는 것
처럼 비슷한 외모의 강아지들이 동네를 휩쓸고 다녔다. 해
질녘 마다 오늘은 어떤 멤버들이 놀러 오려나 기대하면서
마루와 함께 기다렸다.

대청소

몇 년 뒤 제주도 개 트럭 사건이 있었다. 제주도에서 불법으로 포획한 개들을 육지로 팔러 가는 트럭이 크게 이슈가 되었고, 몇 년 뒤에는 중산간 들개무리가 너무 커져서 사람을 공격하는 일이 있었다. 제주도는 원래는 마을마다 돌아다니면서 개를 등록하고 인식칩을 심어주는 사업을 매년 시행해왔다. 동물병원이 부족한 제주에서 광견병 주사도 맞히고, 유기견을 줄이기 위해서 노력했는데, 이 사건 이후로 유기동물을 대청소하는 쪽으로 정책을 바꿨다.

사람의 힘은 놀라웠다. 사업을 시작하고 몇 년이 지나지 않아서, 돌아다니는 강아지 무리들이 전멸하다시피 사라졌고, 그나마 동네에 돌아다니는 고양이는 중성화의 표시로 귀가 잘려 있었다. 마루도 이제는 없지만, 친구들도 이제 없다.

강아지와 고양이만 인간의 친구라고 불쌍히 여기는 것도 문제다. 우리 양갱이만 해도 쥐 나 새들을 가끔 선물로 잡아왔는데, 제주도 고양이들은 안 그래도 개체수가 적은 새들을 재미 삼아 사냥하는 일이 많다고 한다. 가지고

젤로

놀다가 활력이 사라지면 버려둔다. 물론 제주도의 자연 환경 특성상 개와 고양이들이 쉽게 야생성을 찾고 공격성을 가지는 것은 맞는 것 같다. 그렇지만 아무도 없는 텅 빈 거리가 맞는지도 모르겠다. 분명 밤에 사나운 개를 만나면 내가 제일 먼저 화를 내고 민원을 냈을 것 같다. 그러면, 우리는 누굴 골라서 누구로부터 지켜야 할까? 길에서 사는 개들과 고양이, 캣맘과 야생동물 사이에 답을 우리는 과연 찾을 수 있을까. 답이 없는 문제를 또 하나 발견했다.

"우리의 운명을
부탁할게"

"

매일 춤추며 사는 비법

,,

그거 알아?
보드라움을 빌려줄게!

" 자세히 보면,

동물과 함께 살다 보면 알게 되는 것이 있다. 동물의 생김새를 잘 모른다는 것이다. 고양이나 강아지의 귀가 머리와 연결되는 부분은 사람의 귓바퀴가 시작되듯 살짝 접혀있고, 살짝 찢어져 있다. 찢어졌다기보다는 연결이 안 되어있다는 말이 맞지만, 처음에는 찢어진 줄 알았다. 고양이의 귀와 눈 사이, 사람으로 치면 관자놀이는 살짝 탈모가 있다. 탈모를 발견한 날 양갱이가 피부병이라도 걸려서 털이 빠진 줄 알고 깜짝 놀랐다. 고양이의 관자놀이 부분은 원래 털이 헤성헤성하다.

입

강아지의 입은 사람으로 치면 거의 귀까지 찢어진 형태로 매우 크다. 얼굴 전체의 거의 3분의 1이 넘을 정도로 큰 입을 가지고 있는데, 형태적으로 매우 균형이 없고, 사람이 그렇게 큰 입을 가졌다면, 기괴하기 짝이 없었을 것이다. 그런데, 잘 생각해보면 입이 이렇게 볼품없이 작은 사람같은 종도 별로 없다. 인간과 가장 가까운 유인원 종류도 인간처럼 입이 작지는 않다. 보고 냄새 맡고 먹는

마루

것 중에 어쩌면 먹는 것이 가장 중요한지도 모르겠다.

웃음

인간이었다면 기괴할 정도의 큰 입을 가졌음에도 동물들의 외모는 인간보다 준수하다. 인간이 그렇게 입을 크게 벌리면 예의 없는 사람이 될 텐데, 강아지들이 입을 활짝 열고 헐떡이면서 웃어줄 때면 천사가 따로 없다. 그런데, 웃는 동물은 또 몇 없다. 강아지 말고, 곰, 노루도 비슷한 모양의 입 모양을 가졌는데도 웃는 모습을 쉽게 볼 수 없다. 그저 항상 입을 앙다물고 멀뚱히 쳐다볼 뿐이다. 똑똑한 강아지들은 몇천 년간 사람과 살아오면서 사람의 얼굴이 가진 표정을 이해했는지도 모른다. 사람들의 친절한고 강력한 무기인 웃음을 이해하고 따라 하게 되었을 것 같다. 쓸데없는 친절의 의미를 아는 유일한 생명이 인간만은 아닌 것 같다. 물론 고양이는 미소의 의미를 알지만, 냉소할 뿐이다.

눈동자

지금은 확실히 기억이 안 나지만, 어린 강아지나 고양이의 눈은 대개 짙은 푸른색을 띤다. 아마도 빛에 민감한 아기 때는 자연이 만든 선글라스를 끼고 있다가 성체가 되면서 본연의 색으로 변해 간다.(아기 때는 푸른 동맥혈이 비쳐서 푸르게 보인다고 하는데 사실인지는 모르겠다.) 고양이나 강아지는 안구는 사람보다 훨씬 투명하고, 튀어나와 있다. 특히 고양이의 눈은 구슬같이 거의 반구형으로 튀어나와 있는데 이런 눈동자를 들여다보고 있자면 우주에 빠져드는 것만 같다.

꼬리

꼬리 역시 매우 귀찮으면서도 유용한 신체의 일부인데, 강아지나 고양이는 꼬리 덕분에 혼자서도 술래잡기가 가능한 경제적인 장난감을 가지고 태어났다. 꼬리에는 자연이 선물한 장식도 가지고 있는데, 양갱이의 꼬리는 조형적으로 완벽하게 끝에만 몇 줄의 줄무늬가 있었고, 골든리트리버는 항상 적당한 길이의 갈기털이 있다. 주기적으로 미용실에서 손질할 필요가 없는 언제나 적당한 길이와 풍성한 털이었다. 그래서인지 동물들은 꼬리를 세우고 자랑을 하거나 언제나 꼬리를 움직이기를 멈추지 않았다. 심장 다음으로 많이 움직이는 근육이 있다면 꼬리 같다. 잘 때를 빼고는 언제나 살랑거리거나 마구 흔들거나 하고 있었다.

강아지들은 어쩌면 꼬리 덕분에 매 순간 춤을 추고 있는 기분일 것 같았다. 평온할 때는 살짝살짝 뛰면서 부드러운 춤을 추고, 반가운 사람이라도 보면 격렬하게 클럽에라도 온 것처럼 꼬리로 춤을 추는 강아지는 온 생이 축제였을지도 모른다.

그런 강아지를 양갱이는 창틀에 앉아 지켜보면서 꼬리를 탁탁 내려치면서, 도대체 진정을 모르는 하룻강아지라면서 못마땅하게 쳐다봤다. 고양이의 꼬리는 더 섬세한 감정표현이 가능하다. 거만한 고양이들은 언제나 꼬리를 하늘 높이 치켜들고 다니고, 상대를 겁줄 때는 꼬리털을 세워서 두세 배로 부풀린다. 창가에 앉아 있을 때는 꼬리를 우아하게 늘어뜨리고 딱딱 박자를 맞추거나 살랑거리면서 여유를 즐긴다. 마음에 들지 않는 일이 있을 때는 선생님이 지시봉으로 '딱딱' 소리 내면서 거슬리게 박자를 맞추듯이 딱딱거리면서 바닥에 내리친다.

요크셔테리어였던 젤로의 꼬리는 처음 만났을 때부터 잘려있었다. 그 때문인지 젤로는 우리를 반길 때만 다 엉덩이까지 흔들어가면서 트월킹을 췄다. 꼬리를 자르는 견종은 요크셔테리어, 웰시코기, 슈나우져, 도베르만 등이 있는데, 목양견들이 꼬리를 밟혀서 부상을 입는 것을 방지하기 위해서 시작되었다고 한다. 이제는 외형을 유지하기 위해, 체고가 낮거나 꼬리털이 길어서 관리하기 어려운 개들이 주로 자르는 것 같다. 맞다. 꼬리털을 적절하게 미용할 필요도 없고, 똥이 묻는 것이 방지되어 편리하다. 부디 우리 젤로의 꼬리를 자른 사람도 관리하기 좋도록 대머리가 되는 축복을 받기를 바란다.

매일 춤추며 사는 법

같이 살아야만 알 수 있는 강아지나 고양이의 외모가 있다. 쓸모없어 보이는 쌀알 같은 앞니라든가, 고양이의 성격처럼 까칠한 돌기로 가득한 따가운 혓바닥 같은 것은 같이 살아보기 전에는 몰랐다. 그리고 막 목욕이 끝났으나 아직 꿉꿉한 냄새가 남아있고 살짝 촉촉하면서 보드라운 동물들의 털은 세상에서 가장 보드라운 물질이다.

인간 이미 몇 만년 전에 포기해 버린 아름다움을 동물들은 아직도 가지고 있다. 우리에게 아직도 꼬리가 남아있었더라면 우울한 날 햇빛을 맞으며 산책하는 대신에, 하루종일 즐겁게 꼬리를 흔들며 일상을 보내라는 조언을 들었을지 모른다. 꼬리를 흔드는 것만으로도 춤추는 기분이 들테니까. 아마 우리에게 아직 온몸 가득 보드라운 털이 있었더라면, 아침마다 무얼 입을까 고민하지 않고, 몸을 한 번 후루룩 털고서 경쾌하게 출근할 것이다. 모두가 날카로 워지는 어려운 회의나 협상에서 서로의 털을 어루만지면 서 좀 더 보드라운 세상을 만들었을지도 모른다. 똑똑한 인간으로 살아남기 위해서 포기한 쫑긋한 귀와 다정한 꼬 리와 보드라운 털이 그리워서 동물들이 아름답게 보이는 것 같다.

"꼬리가 없다면,

털이 없다면,

보드라움을 빌려줄게"

"

소나무는 별로였던, 고양이

"

노력은 이해해,
취향은 존중해줘.

🎧 발톱도 정반대

동물들의 외모는 매우 아름다우면서 기능적인데, 눈 사이가 멀어서 시야각이 넓은 것이나, 아이라인이 이미 그려져 있어서 썬글라스 없이도 햇빛으로부터 눈을 보호하는 것이 그런 것이다.

계속 자라나는 강아지의 발톱은 단단해서 땅을 파기에 좋도록 되어있고, 실외 활동이 충분하면 따로 발톱 관리를 하지 않아도 저절로 갈려 나간다. 반대로, 고양이의 발톱은 체구가 작은 대신에 얇고 날카롭다. 절삭력에 집중해서 갈려 나가지 않도록 숨겨두었다. 그래서 발톱을 세운 고양이에게 맞으면 생각보다 쉽게 피가 난다. 고양이의 발톱도 역시나 계속 길어지지만 구조가 다르다. 고양이를 키우다 보면 멀쩡한 형태의 발톱이 떨어져 있는 것을 발견하는데, 처음에는 발톱이 빠진 줄 알고 놀라게 된다. 고양이의 발톱은 날카롭게 유지해야 해서 나이테처럼 껍질이 한 겹씩 벗겨지는 구조로 되어있기 때문이다. 고양이는 죽은 발톱을 떼어내기 위해서 주기적으로 어딘가를 긁는다. 그래서 스크래처라고 발톱을 긁을 수 있는 장난감이 고양이에게만 필요하다.

제주 집으로 이사 왔을 때, 마당에 소나무가 한그루 있었다. 양갱이는 스크래처 보다는 밖에 나가 나무를 긁는 것을 좋아했는데, 우리는 소나무를 보자마자 스크래처가 따로 필요 없겠다며 좋아했다. 양갱이를 붙잡고 소나무에 앞발을 대주면서 빨리 발톱을 긁어보라고 재촉을 했는데도 영 관심이 없었다. 얼마 지나지 않아 양갱이는 텃밭에 있는 후박나무와 은행나무를 스크래처로 삼기 시작했는데, 이 나무들은 단단하면서 껍질이 맨질맨질한 나무였다.

소나무는 울퉁불퉁한 껍질에 발톱이 걸려 스크래처로 쓰기에는 불편한 나무였다. 알려주지 않아도 동물들은 어떻게 살아야 할지, 무엇이 더 적절한지를 그냥 안다. 양갱이는 사람에게 모든 것을 다 말해줘봤자 필요없다는 것도 알았다. 어차피 듣지도 않는데, 부질없이 쫓아다니면서 끊임없이 다정한 말을 건네는 개들을 답답해했다. 어리석은 데는 답이 없다는 것도, 시간은 어리석음을 깨우쳐 준다는 것도 알았다. 그래도 아픔에는 조용히 온기를 내주고, 위로해주면서 그냥 조용히 사람들의 시간을 기다려주고, 이해해줬다. 가끔 양갱이는 모든 것을 다 아는 현자처럼 보였다. 그리고 하루종일 밭에 나가서 그늘에 누워 자신만의 세상에서 평온하게 살아갔다. 나는 아직도 양갱이가 모든 것을 다 알고 있었다고, 믿는다. 그 모든 것의 범위가 절대 사람은 알 수 없는 넓고 깊은 세상의 이치라는 것도.

어쨌거나 양갱이의 아름다운 발톱은 텃밭에서 그렇게 관리되었다. 동물들은 생각보다 알아서 잘한다.

"노력은 인정할게,

취향은 존중해 줘"

부끄럽지 않게 아름다운

"

네 남자친구는
부드러워?

", 신을 닮은 인간

세상 만물을 창조한 전지전능한 신, 그중에 유일하게 인간만을 신의 모습을 닮게 만들었다. 시골살이를 해보니 신의 모습으로 인간을 만들었다는 것은, 동물 어디에도 속하지 못하는 어색한 사람의 모습에 당황해서 급하게 지어낸 거짓말 같았다.

신은 인간만 빼고 다 아름답게 만들었더라. 태초에는 인간도 아름다웠다. 네발로 세상을 당당히 딛고 서서 모든 다른 동물들과 같은 눈높이로 세상을 바라보았다. 사람만이 간교하게도 무기를 들었다. 무기에 의지해서 의기양양하게 일어났다. 다른 생명들을 마음대로 해도 되는 신의 권위가 있다고 믿고, 겨우 2미터도 채 되지 않는 높이에서 세상을 내려다보았다. 신이 만든 모든 아름다운 것을 독차지하느라 인간은 편리하게도 차츰 아름다움을 버렸다. 매력적인 꼬리와 찬바람을 막아 줄 털, 작은 소리에도 귀 기울이는 쫑긋한 귀, 온 세상이 선명했던 시야와 강인한 체력을 모두 세상을 내려다보는 것과 바꿨다. 남은 것은 무기에 기대어 서 있는 벌거벗은 가느다란 몸뿐이었다. 신이 준 아름다움을 다 벗어버리고, 사람은 이제 신도, 동물도 아니었다.

동물과 함께 살아보니 동물들은 구석구석 아름다웠다. 요크셔테리어 젤로는 입안에서 씹던 풍선껌을 늘인듯한 좁고 긴 혓바닥을 날름거리면서, 인형에 달린 플라스틱 코와 똑같이 생긴 코를 핥는 것이 너무 귀여웠다. 고양이 양갱이는 눈에 아이라인이 이미 완벽하게 그려져 있었고, 성격은 시니컬 하지만 오해 말라는 듯이, 몸통에는 흰 바탕에 버버리 황토색으로 하트가 선명하게 찍혀 있었다.

골든리트리버 마루는 걷고 달릴 때 프릴 옷을 입은 것처럼 보이도록, 다리와 꼬리, 목덜미를 장식 털이 풍성하게 있었다. 마치 탱고 춤을 추는 사람이나 나팔바지를 입은 엘비스 프레슬리처럼 언제나 완벽하게 준비된 댄서 같았다.

이런 부분 말고도 귀 끝에 쫑긋 서 있는 세 가닥의 털이나, 얼룩무늬를 한 조그만 발바닥 패드, 얇은 고무 패드 같이 반짝이는 좁고, 까맣고, 쫄깃한 입술처럼 매일 예쁜 부분을 계속 발견했다.

부끄럽지 않게 아름답기 위하여

그에 반해 나는 주말이면 잊지 않고 팔다리 제모에 시

달려야 했고, 아침마다 별 달라질 것도 없는데도 화장하느라 한 시간씩은 덜 자야 했다. 물론 네일 아트 정도는 개, 고양이, 사람 모두 모여 수다 떨면서 함께 했다. 점점 더 개, 고양이들의 미모에 반해갔는데, 어느 날 친구가 남자친구 자랑을 하자 나도 모르게, 물었다. "네 남자친구는 부드러워?", "귀는 쫑긋해? 꼬리는? 아이라인은?"

동물을 키우기 전에는 작은 강아지라도 이빨이 무서웠고, 환영하며 핥아주는 혓바닥은 찝찝했으며, 털은 부드러웠으나 새 옷을 더럽히는 불편한 것이었다. 동물들은 멀리서 보면 귀엽지만, 살짝 무섭고, 살짝 냄새나고, 털도 날렸다.

반면에 항상 사람은 때와 장소에 맞춰 세련되게 차려입고, 열심히 가꾸는 것을 게을리 하지 않아서, 가까이 가면 향기났다. 물론 나도 부지런하게 새벽같이 일어나서 화장을 하고, 불편을 참고 하이힐을 신고, 추위도 이겨가며 미니스커트를 입었다. 단정하고 세련되게, 좋은 향기가 나는 사람으로 아름답기 위해서 노력했다.

그런데 이상하게도 아름답기 위해서 노력하면 할수록, 더 쉽게 미운 구석을 더 잘 찾아내게 되었다. 오늘은 머리 모양이 마음에 안 들었고, 겨울이 오는데 제대로 된 코트 한 벌이 없었고, 신발은 언제나 편안한 법이 없었다. 인어공주가 지느러미 대신 얻은 아름다운 두 다리로 걷는 것은 언제나 고통이었듯, 사람이 두발로 서는 것에도 고통이 따랐다.

항상 잘 차려입어야 하는 것은 빈약한 주머니와 빈곤한 마음을 가리기 위한 것이었고, 화장을 해서 표정으로 속내를 들키는 것도 막아야 했다. 혹여 나만 알고 있는 비밀스런 구린내라도 흘리지 않을까 향수로 가려야 했다. 사람은 어떤 동물들보다 똑똑하게 일어나 모든 종의 지배자가 되었지만, 부끄러움은 이기지 못했다. 똑똑해지느라 포기한 동물적 아름다움이 없어서, 부끄럽지 않게 아름답기 위해서 항상 바쁘다.

"네 남자친구는 부드러워?",

"귀는 쫑긋해?"

"
사람 산책 시키기

"

가끔은
이끄는 대로,

제주도에 내려오기 전까지는 풀, 벌레, 심지어 흙도 무서웠다. 풀숲에서 뭐가 튀어나올지도 모르고, 신발에 흙이 묻는 것도 싫었다. 흙바닥에서는 예쁜 구두 일수록, 구두 굽이 걸음걸음 땅에 박혀서 걸어 다니는 못이 되는 기분이었다. 제주 바다도 좋고, 조용한 시골 마을도 좋았지만, 왜 좋은지 모르는 것을 몰랐다.

강아지 산책시키기

개가 성장하는 것도 어느 것이나 그렇듯이 사람의 일정을 기다려주지 않는다. 게다가 개는 자고 일어나면 어른이 되어있다. 개를 처음 키우는 사람이, 그것도 대형견을 키우는 사람은 어릴 때를 놓치면 앞으로 평생 고생하게 된다. 어릴 때 교육을 잘해두어야 하고, 힘으로 통제할 수 있을 때 규칙을 알려줘야 앞으로가 편해진다. 우리 마루는 결국 노년의 엄마가 혼자 키워야하기 때문에 더욱 더 열심히 훈련했고, 하루도 산책을 빠뜨리지 않았다. 4개월이 넘어서면서부터는 강아지의 힘이 버거워지게 돼서 항상 목장갑을 끼고 나가야 했다. 줄을 당기면 손이 쓸리는 일이 비일비재했고, 어디서 튀어 나가서 어떤 수풀로 들어갈지, 무엇을 주워올지 몰랐기 때문이다. 목장갑은 힘쓰기도 좋고, 더러운 것을 때내기도 편하고, 간식을 잔뜩 주머니에 넣고 줄 때 마루의 침도 막아주었다. 매일 밤 공부한 강아지 훈련법을 실습도 하고 돌아왔다. 산책 초반에는 항상 전투적으로 마음을 단단히 먹고 나갔다. 그 무렵 어떤 외투 주머니에도 개 간식과 목장갑 한 쌍이 들어 있었다.

처음에는 훈련 목적으로 개를 위해서 산책을 시작했지만, 산책은 곧 일상이 되었다. 개랑 한 시간쯤 산책을 하다보면 저절로 길에 주저앉게 된다. 힘이 들어서 길바닥에 철퍼덕 앉아 있으면, 마루는 친히 뛰어와서 우리를 눕혀준다. 젤로는 참지 않고 마구 짖으면서 마루한테서 우리를 지켜준다.

우리가 산책하는 길은 건천을 따라서 난 작은 길이었다. (제주도에는 항상 물이 흐르는 강이 별로 없다. 비가 많이 오면 갑자기 물이 흐르는 하천이었다가, 바다로 물이 다 쓸려 내려가고 나면 다시 강바닥이 드러날 정도로 마른다. 그래서 건천이라고 부른다.) 자주 다니던 건천은 개 중에 큰 편이라서 안쪽에는 항상 물이 고여 있었다. 그래서 여름 산책은 언제나 마루의 수영으로 마무리 됐다. 강아지는 혼자 수영하지 않는다. 주인이 주위에서 뭐라도 던

마루

져쥐야 하는데, 처음에는 공 같은 것을 가지고 나왔다가
나중에는 근처에 있는 나뭇가지 같은 것을 주워서 던져줬
다. 때문에 산책이 수월해진 뒤에도 언제나 목장갑 신세였
다.

하루에 두 번씩 나가도 마루는 항상 산책을 좋아했다.
산책에서 마음에 드는 나뭇가지가 있으면 집까지 주워오
기도 하고, 수영도 했다. 사람 하나 만나지 못하는 한적한
산책길을 매일 똑같이 다녀도 똑같은 날은 하나도 없었다.
(지금은 동네에 육지에서 이사 온 사람이 많아졌지만, 그
때만 해도 우리가 십 몇년 만에 동네에 이사 온 첫 외지
사람이었기 때문에 개를 데리고 산책하는 사람은 우리뿐
이었다.) 처음에는 선크림을 짙게 바르고, 모자를 쓰고 산
뜻한 차림으로 나섰지만, 시간이 지날수록 흙 묻은 신발,
구멍 난 티셔츠, 그을린 피부로 자연과 하나가 되어갔다.

사람 산책 시키기

더 좋은 산책로를 찾기 위해서 마을 지도를 놓고 마을
구석구석을 찾아다녔다. 마을 안길, 돌담 사이의 올레길을
걸으면서 동네 어르신들에게 인사도 하고, 마을을 탐험했

다. (올레길은 원래 바람이 들이치기 어렵도록 마을 안 길을 좁은 돌담길로 만들어 놓을 것을 말한다.) 우리 동네에는 작은 산신당도 있었고, 우리동네 사람만 아는 오름도 있고, 물을 가둬두는 못도 있었다. 어디에 가야 대나무 숲이 있고, 동백길은 어디고, 어디가 이장님네고, 어디가 미역을 나눠주신 해녀 할망네 집인지 구석구석 훤히 알게 됐다. 시골 동네는 돌아볼수록 볼거리가 있고, 얼핏 들여다 보기만 해도 집집마다 각기 다른 취향이 한눈에 보여서, 산책길도 여행이 된다.

심지어 야밤에도 여자 혼자 가기 무서운 곳을 마루를 방패 삼아 산책하러 갔다. 야밤에 강아지를 차에 태우고, 바닷가도 가고, 수확이 끝난 밭에도 들어가고, 오름에도 가고, 사람 하나 없고 불빛 하나 없는 곳을 헤매고 다녔다. 혼자라면 절대 갈 수 없었을 곳, 어둠 속에 바람과 우리들만 있었던 그때, 가득 빛나는 별을 구경할 새도 주지 않고 우리 강아지들은 날뛰었다.

시골살이가 처음이라면 개를 키우는 것은 선택이 아니라 필수다. 마루가 없었다면 동네 사람들과 일일이 인사를 나누지도 못했을 것이고, 동네를 훤히 손바닥처럼 정복하지도 못했을 것이다. 우리가 강아지들을 산책시켜 준다고 생각했는데, 개들이 동네를 구석구석 소개해줬다. 아직도 산책중에 발견한 길에서 달래를 캐고, 동백 씨를 줍는다.

마루와 젤로가 없으니 알겠다. 이제 대문을 나와서 차 문을 여는 짧은 몇 발자국 외에는 동네 산책을 하지 않는다. 길 위에서는 언제나 동행이 필요한 것을 이전까지는 몰랐다.

"가끔은

이끄는대로

낯선곳으로

따라와"

슈퍼파워는 비밀입니다.

"

추억이
인생을 구원하는거야.

🏷 부들부들한 기적

아기 강아지를 키우는 몇 달 동안은 기적이 눈앞에서 일어났다. 사람의 기준으로 보면 강아지는 슈퍼파워를 가진 돌연변이었다. 사람은 태어나서 일 년이 되어야 겨우 걷고 말하는데 강아지는 기적처럼 나자마자 서고, 돌아서면 성장했다. 마치 부처님이나 알에서 태어난 왕들처럼 태생이 남달랐다.

사람 아기가 이렇게 빨리 성장한다면, 어딘가에서는 대단한 뉴스가 되고, 어딘가에서는 신으로 추앙받을 텐데, 동물들은 모두 아무렇지도 않게 해낸다. 동물들의 밤은 인간의 몇 달을 압축한 것 같았다. 겨우 며칠 떨어져 있다가 만났는데도, 강아지는 스펀지처럼 불어나 있었다. 기적 같은 일이 매일 여기저기서 일어나는데도, 세상이 잠잠한 것이 오히려 이상하게 느껴졌다. 만나는 사람마다 4개월밖에 안됐는데 15kg이라며, '자고 일어나면 커져 있다'고 흥분해서 떠들고 다녔다. 태어난지 120일인데 몸무게가 15kg를 넘는 것이 너무 신기하지 않냐며 간절히 동의를 구해봐도, 개를 너무 좋아하는 철모르는 귀찮은 노처녀 취급만 당할 뿐이었다.

내 눈앞에서 믿을 수 없는 일이 일어나는 것을 확인했으니,동물이 가진 초월적인 슈퍼파워를 모조리 내 눈으로 확인하고 싶었다. 냄새로 모든 것을 알아낸다는 강아지, 움직이는 물체를 보는 동체 시력이 최고라는 고양이의 힘을 내 눈으로 확인하고 싶었다. 나자마자 걸으면서 천상천하 유아독존을 외친 이는 부처였지만, 우리 개와 고양이는 바로 내 옆에서 멍청한 표정으로 부들부들하게 만져지는 존재하는 기적이었다.

뱀을 가지고 노는 고양이의 슈퍼파워

유튜브를 찾아보면 뱀을 장난감처럼 가지고 노는 고양이를 쉽게 볼 수 있다. 뱀이 독을 가진 위협적인 존재이기는 하지만, 대부분의 뱀은 우리가 상상하는 아나콘다같이 체격이 크지도 않고, 독이 없으면 족제비나 고양이한테 혼쭐나는 생각보다 나약한 존재다. 고양이는 움직이는 물체를 잘 보고 반응하는 속도가 매우 뛰어나서, 뱀들이 덤벼도 잘 피하고, 오히려 앞발로 뱀을 때리면서 가지고 논다고 한다. 이런 놀라운 영상을 유튜브에서 몇 개 보고 나서, 나는 꿈에 부풀었다. (실제로 내 동생은 고양이 체격의 반도 안되는 족제비가 뱀을 물고 도망가는 광경을 봤다고 한다. 제주도는 아직도 족제비를 비교적 흔하게 볼 수 있다.) 마침, 집 마당에는 숨어 사는 뱀도 있고, 고양이 양갱이도 있으니 운이 좋으면, 유튜브 영상 같은 광경을 현장에서 볼 수 있을지도 몰랐다. 몇 년을 목이 빠져라 기다렸지만, 아쉽게도 양갱이와 뱀이 마주치는 일은 없었고, 뱀은 괜히 징그럽게 나하고만 자꾸 마주쳤다.

캣우먼의 사정

대신에, 그 일이 일어났다.

산책냥인 양갱이가 길을 건너려는 순간, 매우 천천히 오던 동네 트럭이 양갱이를 보고 섰다. 심지어 급정거 한 것도 아니었다. 양갱이는 한 3초간 그 자리에 얼음처럼 얼어붙었다. 트럭이 서고 나서도 한참 있다가 뒤늦게 놀라서, 멈춰있는 트럭에 펄쩍 뛰어 스스로 부딪혔다.

"나는 섰는데, 애가 와서 부딪혔어!!"

내가 보고 있지 않았더라면 트럭아저씨는 세상 억울할 뻔했다. 황급히 트럭 아저씨에게 사과를 하고, 양갱이를 살펴보니 피가 한 방울씩 뚝뚝 떨어진다. 정신없이 동물병원으로 달려갔다. 양갱이는 트럭에 치인게 아니고, 스스로 트럭을 쳤다고 한참 설명하고 피나는 곳을 살폈다. 너무 세계 트럭을 치는 바람에 송곳니가 조금 부러지고, 혀를 깨물었다. 피는 혀에서 나고 있었다. 다행히 놀란 것이 전부였지만, 그 일로 그 길을 다시는 건너가지 않고 마당만 오가며 지냈다. 유튜브에서처럼 놀라운 민첩함으로 위기를 넘기는 일은 없었다. 히어로는 대게 존재를 드러내길 꺼리고, 현실에서는 찐따인 경우가 많다. 양갱이는 고작 그런 일로 슈퍼 파워를 내보일 수 없었다. 누구나 그들만의 사정이 있다.

간식으로 만든 길

사람들은 동화 『헨젤과 그레텔』에서 과자집만 기억하지만 가장 드라마틱한 부분은 달빛에 비친 빵조각을 따라 집으로 돌아가는 풍경이다. 제주도로 이사오기 전까지 달빛만 남은 세상을 본 적이 없었다. 희미한 달빛이 세상을 밝힌다는 것은 옛사람들의 과장쯤으로 여겼다. 시골에 와서야 달밤이 얼마나 밝은지 알게 되었다. 보름달이 뜬 밤은 환하게 밝아서, 아무것도 몰래 할 수 없다. 도둑도 없고, 밀회도 할 수 없는, 쓸데없이 밝아서 잠 못 드는 밤이다. 보름달이 뜨는 잠 못드는 밤이면 우리는, 마루와 함께 평소에는 어두워서 잘 못 가던 길 건너 숲으로 산책을 나섰다. 물론 동화에서처럼 간식 조각을 따라서 집에 돌아오기 위해 조금씩 개간식을 던져 길을 만들면서 갔다. 언제나 간식으로 만든 길은 달빛을 받아 빛나기도 전에, 밤눈 밝은 마루의 뱃속으로 사라졌다. 마루는 동화의 로망같은 것은 상관하지 않는 지극한 실용주의자다.

　보름달이 뜬 시골 밤은 한 편의 그림자극이 된다. 실루엣만 남은 세상에서 새하얀 순진한 것들만 달빛을 받아 『헨젤과 그레텔』에서처럼 하얗게 빛났다. 하얗게 빛나는 산책로 위에서 그림자가 되면 무엇이든 될 수 있었다. 우리는 거인이 되기도 하고, 서로를 잡아먹는 놀이도 하면서 되고 싶은 모든 것이 되었다. 산책이 지쳐갈 때쯤에는 나무 뒤에 숨어서 마루를 놀리는 숨바꼭질을 했다. 냄새로 무엇이든 찾을 수 있는 '슈퍼파워'를 가진 마루가 우리를 찾아주길 기다렸다. 혼자 남은 마루는 냄새를 쫓아서 우리를 찾아 나서기보다는 '컹컹' 짖으면서 나오라고 말로 협상을 시도했다. '슈퍼파워'는 간식을 찾는 것처럼 중요한 일에만 써야 했다.

여기 누구 있어?

가끔은 달빛도 들지 않는 어두운 숲길로 숨어 들어가서 마루에게 물었다.

"강아지는 귀신을 볼 수 있다던데,

여기 누구 있어?"

귀신 찾으러 가자면서, 한 치 앞도 안 보이는 숲길을 따라 들어가면, 마루는 어둡고 무서운 길로 따라 들어오기를 거부하면서 "컹컹" 거리면서, '가지 말라고', '무섭다고', '하지 말라고', 겁먹은 여자아이처럼 얼어서 울었다. 용맹한 젤로는 무심하게 '안 따라올거면 시끄럽게 울지 말고 기다리라'며 마루를 혼내고는, 어둠속으로 겁도 없이 따라 들어왔다. 누가 용감한 강아지인지 알 수는 있었지만, 개들이 귀신을 볼 수 있는지 알아보는 실험은 매번 실패했다. 귀신을 볼 수 있다 하더라도, 무서운 것은 똑같다는 점도 확인할 수 있었다.

개와 고양이의 '슈퍼파워'를 증명하는 내 실험은 실패했지만, 강아지들이 없었더라면 달빛에만 의지해서 밤 산책을 즐길 수 없었을 것이고 『헨젤과 그레텔』의 빵조각으로 된 길이 실화였다는 사실을 절대 몰랐을 것이다. 지금

도 달이 빛나는 밤이면, 무엇이든 될 수 있는 그림자였던
그 밤들이 떠오른다.

"진짜 슈퍼파워는 무엇이든 될 수 있던,
함께 한 그날의 추억이지
추억이 인생을 구원하는거니까"

"

냄새로 쓰는 편지

99

말하지 않아도 다 알아.

,,

어릴 때 시골에 있는
할머니댁에 가면, 집 앞에 묶여있던 개가 그렇게 무서웠
다. 겁에 질려서 울면서 입구에 얼어있으면, 그 모습에 개
는 더 무섭게 짖어 댔고, 집안에 들어가는데도 한참 걸렸
다. 좀 크고 나서는 개가 무서워서 울기에는 부끄럽기도
했고, 울면 개를 자극하는 것도 알게되서 최대한 조심스럽
게 들어가려고 노력했다. 애써 무서운 티를 내지 않았는데
도, 나한테만 무섭게 짖는 개들 때문에 억울했다. 나만 미
워하는 이유를 도통 알수 없었다. 개들이 이유 없이 짖은
것이 아닌 것을 몇십 년이 지나고, 마루를 키우면서야 겨
우 알게 되었다.

온라인으로 접속하는 시간

마루 삶의 낙은 산책이다. 똑같은 산책로를 규칙적으로
산책하는데도 매일같이 설렜다. 산책을 좋아하는 이유가
달리고 싶어서인지, 수영하고 싶어서인지 알 수 없었다.
눈으로만 세상을 보는 사람은 왜 산책을 좋아하는지 알아
내기 힘들었다. 눈으로도, 냄새로도, 촉감으로도 세상을 보
는 마루에게는 같은 산책로라도 하루도 같은 길이 아니었
다. 그중 매일 변하는 냄새를 맡는 것이 산책에서 제일

재밌는 일이었다.

강아지 산책의 목적은 여러 가지가 있지만, 산책에서 꼭 해야 하는 일은 냄새 맡기와 마킹이다. 마치 업무시간이라도 된 듯이 마루와 젤로는 진지한 표정으로 신중하게 냄새를 맡고 꼼꼼하게 마킹을 한다. '마킹'은 개들이 전봇대에 다리를 들고 오줌을 눠서 냄새를 묻히는 행동인데, 개를 키우기 전까지는 마킹이 배변 활동이라고 생각했다. 마킹은 배변과는 다르다. 찔끔 냄새를 남길 정도만 오줌을 눠서 다녀갔음을 표시하는 것이 '마킹'이다.

처음에는 마킹이 영역표시라고 이해했는데, 카카오톡이었다. 산책을 나온 순간 개들은 온라인 상태가 된다. 집에 있을 때는 인터넷이 안 되서 카톡을 못 보고 있다가, 나오는 순간 온라인이 되면서 카톡을 열심히 읽는 것과 같다. 꼼꼼히 냄새를 맡아서 친구들이 새로 남긴 이야기를 읽고, 그 자리에 찔끔 오줌 냄새를 남겨서 답신을 한다. 온 산책로를 따라 걸으면서 카톡을 읽어야 하는데, 산책을 못 하는 날은 카톡을 한 번도 못 열어보게 된다. 사람만 카톡에 중독되는 것이 아니다. 개들도 산책을 못 나가면,

새로운 소식이 궁금해서 미칠 지경이 된다. 카톡에 주말이고, 밤낮이 없듯이, 개들은 온라인이 될 산책만 기다린다.

냄새의 비밀

오줌은 생각보다 많은 정보를 담고 있다. 사람은 냄새를 읽는 방법을 모를 뿐이다. 가끔, 주인의 암을 발견한 개들이나, 냄새로 당뇨병 환자에게 경고를 해주는 당뇨 도우미견은 사람들은 알기 어려운 것들을 냄새로 알아차린다. 소리로 대화하는 것이 사람에게 당연하듯이 개들은 냄새로도 대화한다. 개들이 냄새로 어떤 대화를 하는지 알 수는 없지만, '오늘 점심 메뉴로 고기를 먹었어'부터, '오늘 주인한테 혼나서 기분이 별로야' 이런 대화가 오가지 않을까.

냄새에 담긴 뜻을 알게되자, 몰랐던 중요한 사실을 알게 되었다. 감정은 냄새였다. 공포에 질려서 수축된 근육과 식은땀, 요동치는 맥박은 저절로 생기는 것이 아니다. 몸 안에서 화학적인 변화를 만들어, 일사분란하게 공포에 맞는 신체 반응을 일으킨다. 이때 활발하게 몸에 넘쳐흐르는 어떤 물질의 냄새를 개들은 처음부터 알고 있었다. 어릴 때 할머니 댁의 강아지들은 내게서 짙은 공포의 냄새를 맡았던 것이다. 그래서 나한테만 짖었다. 냄새의 비밀을 알고나니 벌거벗은 것 같았다. 사람답게, 이성적으로, 어른답게, 숨긴 내 슬픔과 우울, 부끄러움과 자만, 치졸함과 분노를 동물들은 이미 다 알고 있었다. 집주변의 수다쟁이 새들도, 산책로에서 만나는 풀벌레와 개구리도, 애써 숨겨둔 부끄러운 감정들을 다 읽고 있었다. 사람들이 얼마나 하찮고 옹졸한 존재인지, 동물들은 이미 다 알고 있었다.

그래서, 말하지 않아도 개, 고양이는 항상 다 알고 있었다. 내가 기분이 나쁘다고 강아지까지 우울해지게 하지 않으려고 아무리 숨겨도 강아지들은 사람의 아픔과 슬픔을 냄새 맡았고, 기쁨과 행복도 맡았다. 내가 알아차리기도 전에 나의 모든 희노애락을 다 알면서 아무것도 모르는 표정으로 평온하게 곁을 지켜주었다. 이 또한 지나가리라는 것을 확신하면서. 우리에게도 어떻게든 버티는 법을 알려주려고 했던거다.

가끔 신화적인 인물의 이야기에서, 몇 날 며칠을 그 자리에 앉아서 돌처럼 수행했는데, 좋은 향기가 주변에 넘쳐

흘렸다는 이야기가 있다. 아마도 슬픔에서는 슬픈 향이, 분노에서는 분노의 향이, 행복에서는 행복의 향이 나기에 평온을 찾은 수행자에게 평화롭고 아름다운 향기가 난 것은 당연한 일이었다.

항상 밖에 놀아서 항상 누린내가 나던 우리 집 동물들의 냄새가 그래서 싫지 않고 아직까지 그리운 것 같다. 우리 개, 고양이는 천진하고 순수한 영혼이라서 누리고, 꼬순내가 나서 좋았다. 내가 제일 좋아하는 찝찔한 꼬순내였다.

말하지 않아도 다 알아주는 존재가 있다는 것은, 얼마나 다행인 일인가. 과연 나는 어떤 냄새가 났을까. 일희일비 하느라 매일 좋은 냄새를 풍기지 못했던 것이 너무 뻔하다. 그래서 옹졸한 누린내가 좀 났더라도, 그래도 꼬순내를 풍기는 사람이었기를, 지금은 좀 더 향기로워졌기를 바래본다.

"말하지 않아도, 괜찮아"

"다 알고 있어,

괜찮아."

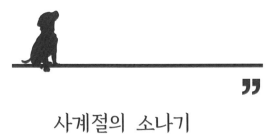

사계절의 소나기

잘 모르겠다면,
땅바닥을 뚫어져라 보면 돼.

🎙️ 계절

"엄마 오늘부터 이제 봄이야?,
그럼 어제도 봄이야?"
"그럼 계속 계속 봄이면 겨울은 언제 끝났어?"
"어제랑 오늘이랑 똑같은데
왜 오늘부터 갑자기 봄이야?"

어릴 적 자주 했던 질문이었다. 지금이라면 절기며, 기온변화 같은 다양한 설명을 할 수 있겠지만, 계절은 고등학생 때까지도 납득하지 못했고, 누구하나 명쾌하게 설명해주지도 않는, 나만 없는 감각이었다. 어른이 돼서는 더이상 궁금하지는 않았다. 계절은 옷가게와 뉴스 안에만 있었고, 정신없이 흘러가는 세월의 다른 옷이었다.

개들과 함께하는 산책길에서 잊었던 계절이라는 궁금증을 해결했다. 실처럼 올라오기 시작한 달래가 오늘부터 봄이라고 알려주고, 솜털이 사라지면서 뻣뻣해지는 쑥이 봄이 끝나간다고 알려준다. 젤로, 마루와 산책하지 않았더라면, 아무리 시골에 살아도 계절을 자세히 들여다 보지는 않았을거다. 아무데서나 철푸덕 앉고, 주인이 기다리거나

마루

말거나 자기 볼일을 꼼꼼히 보는 개들 덕분에 어떤 날들은 처다볼게 땅바닥밖에 없었다. 생각보다 땅바닥에는 볼 만한 것이 많았다. 새끼손톱보다 작은 야생화나 산딸기같은 것을 몇 번 발견하고 나면, 나중에는 땅바닥을 뚫어지게 보는 나를 오히려 개들이 기다리게 된다.

봄을 걸을 때는 달래를 캐야 하니까 호미를 들고 나갔고, (달래는 연해서 호미가 없으면 뿌리까지 캐기 힘들다. 우리 동네는 유독 달래가 많이 나서 다른 동네 사람들도 캐러 온다.) 쑥을 뜯을 때는 봉지를 가지고 나갔다. (달래는 길어서 한 줌만 들고 와도 충분하지만, 퐁실퐁실 짧은 쑥은 봉지 없이는 한주먹도 들고 있기 힘들다.)

여름 태풍 뒤에는 건천을 오랜만에 채운, 한라산에서 내려온 얼음장 같은 물을 첨벙첨벙 건너갔고, 가을에는 길가 가득 핀 부드러운 억새를 한없이 쓰다듬다보면 산책길이 끝난다. 어느새 새 눈을 밟으면서 뛰어다니다가 수확을 마친 밭에서 차가운 무를 주워 먹다 보면 겨울도 끝이 난다.

우리 동네에는 무밭이 많아서, 겨울 산책에는 항상 수

확이 끝나 버리고 간 무를 주워 먹는 것이 루틴이었다. 하루는 어릴 적 읽은 소나기가 생각나서, 나도 흙을 털고 겨울 무를 한 입 먹어보기도 했다. 잘 보이고 싶은 사람이랑 있는 게 아니라서, 시원한 겨울 무가 그렇게 달았다. (소나기에서도 밭에서 무를 뽑아 먹었는데, 도시 여자친구가 맛없다고 던져버리자 주인공도 맵다면서 던져버렸다.) 어쨌든 산책길은 우리들만의 '소나기'였다. 다만 좋아하는 아이 대신에 개랑 함께였을 뿐.

우리 개들은 비가 오나 눈이 오나 봐주는 법이 없어서, 온전한 사계절을 알려줬다. 어제랑 똑같은 오늘은 단 하루도 없었다. 다만, 아름다운 순간은 소나기처럼 잠시 스쳐 갈 뿐이었다.

"계절을 잘 모르겠다면,
땅바닥을 뚫어져라 바라보면 돼.
새싹도, 비도, 열매도, 눈도,
우리 발 아래 무심히 언제나 있었어"

"

완벽한 무오류의 법칙

"

몰라도,
사랑할 수는 있지.

"

나는 신의 존재를
믿지도 않으면서, 신을 원망하는 사람이었다.

"신의 자식들 중에 누구는 더 사랑하고,

왜! 누구는 덜 사랑하느냐고!!"

재산을 상속받지 못한 막내아들처럼, 공평하지도 못하
면서 전지전능할 수 없다고 항상 원망했다.

텃밭의 무오류

시골에 살아보니 신은 완벽한 무오류의 법칙으로 작동
하는 그 어떤 힘이었다. 그 무엇보다 완벽했다. 콩 심은
데는 콩이 나고, 팥 심은 데는 팥이 났다. 헷갈리거나 실
수하는 일 따위는 없었다. 때가 되면 봄이 되고, 비가 오
고 꽃이 피고 열매가 열렸다. 싹이 트고 열매가 맺히는
것을 이해할 수는 없으나, 어떤 농부라도 의심 없이 다
시 씨를 뿌릴 수 있는 완벽한 무오류의 세계가 텃밭에 있
었다. 신도 함께 거기에 있었다.

어릴 때 성경을 보면서 절대 이해되지 않는 구간이 있
었는데, 신이 아들을 제물로 바치라고 시험하는 장면이었
다. 그런 시험을 하는 신이나, 아들을 제물로 바치려는 사

람 모두를 이해할 수 없었다. 그 이치를 텃밭에서 깨달았다. 신이 가져오는 모든 죽음은 다시 움트기 위한 준비단계였다. 극히 짧은 순간밖에 이해하지 못하는 인간에게는 죽음이 엄청난 일이었으나, 신에게는 순환의 주기일 뿐이었다. 신은 인간이 절대 죽음을 준비단계로 받아들일 수 없다는 사실도 알고, 시험에 그쳤다. 아들을 바치려던 사람은 이해하지는 못했으나 무오류의 완벽함을 믿었다.

배우지 않아도 알 수 있는 일

개와 고양이의 삶도 완벽한 무오류 안에 들어있다. 한동안 우리는 마루를 중성화하지 않고 지냈는데, 봄바람이 불면서 새끼를 키우기 좋은 때가 돌아오면, 동네 온갖 수컷 개들은 누가 알려주지도 않았는데, 우리 집 담 밖에서 사랑꾼 로미오처럼 때를 노렸다. 찬바람이 불어오는 것을 알아채기도 전에 마루의 털은 뭉텅뭉텅 빠져서 겨울을 알렸고, 새들은 털을 주워가려고 더 분주하게 우리 집을 드나들었다. 알려주지 않아도, 동물들은 신의 뜻을 알고 있었다.

강아지들은 가르쳐주지 않아도, 아기 사람인 조카를 사랑해서 어떻게든 핥아주었고, 어른보다 몇 배는 사랑해 주

있다. 덩치 큰 마루는 함께 사는 작은 양갱이와 젤로에게
는 하루에도 몇 번씩 혼나거나 맞아주면서도, 가족으로 사
랑하는 것을 한시도 잊지 않았다. 신의 은총과 사랑을 배
우지 않고도 충분히 이해했다.

물론, 신의 뜻은, 사람은 배워도 절대 이해하지 못하는
것이기 때문에, 우리 가족은 싸우고, 미워하기를 반복했다.
웃기는 것은 서로 잘해주려는데 항상 싸움으로 끝났다. 그
럴 때마다 우리 집의 동물들은 항상 축축하게 핥아주거나
그저 엉덩이를 딱 붙이고 앉아 있는 것으로 언제나 위로
와 사랑을 끝없이 나눠줬다. 신의 뜻을 이해하지 못하는
것은 오직 사람뿐이었다.

"세상 모든 것을

알 수도,

볼 수도 없지

그러나 사랑할 수는 있지"

신의 뜻을 이해하는 일

"

노력해도,

거기서 거기야.

🙿 신의 뜻을 이해하는 일

제주도에 살면 왠만큼 아는 사람들은 다 들렀다 간다. 그중 가장 반가웠던 것은 이모였다. 이모는 어린 시절 내내 찰옥수수를 삶아놓고 불러주셨고, 내가 기억하는 우리집 김치 맛은 이모의 솜씨였다. 이제 여든이 훌쩍 넘으신 이모에게 노인성 치매가 시작될 무렵이었다. 산책도 하고, 엄마랑 하루종일 말벗도 할 수 있어서 한참을 계셨다. 평생 부지런하게 사신 분이라 쉬는 것을 견디지 못하시고, 마당에서 잡초라도 뽑아야 편한 분이셨다. 그때도 약한 치매 증상이 있으셔서, 깜빡깜빡 과거로 돌아가기도 하고, 여기가 어딘지 잠깐 헷갈려하시기도 했다.

자신을 잊기 시작한 이모가 잊지 않은 것도 있었다. 잡초들에게 말을 전하는 것이었다. 끊임없이 노래처럼 중얼거리면서 잡초를 뽑는 이모 곁에서 조용히 들어보면, 오랫동안 몸에 밴 사죄의 독백을 되풀이하고 있었다.

"우리 사이가 무슨 원수지간이길래,

너희들을 이렇게 수도 없이 죽여서 미안하다."

"죄 많은 나를 만나서 살아보지도 못해서 미안하다."

"무슨 죄를 지었길래 내 운명은 평생을 풀을 죽이며 사는 운명을 타고났는지 모르겠다."

"미안하다."

'다음부터는 사람으로 태어나라'고 복을 빌어주시기도 하고,'먹고 살려고 어쩔 수 없이 하는 일이니 원망 말라'고 설명하기도 하셨다. 끊임없이 잡초에게 그렇게 사죄를 하시면서도 타고난 운명처럼 어딘지, 누구인지도 잊어가며, 계속 풀을 메셨다.

"아니, 풀 좀 뽑는데, 무슨 사과를 그렇게 하세요?"

옆에서 그 소리를 듣다가 물으면, 대수롭지 않게 '심심하니까 절로 나온다'며 넘기신다.

우리집은 작은 텃밭이 딸려있어 누가 놀러 오면 심심풀이로 잡초를 뽑는다. 사람들은 생각보다 잡초 뽑는 일을 즐긴다. 잡초를 뽑는데도 성격이 다 드러난다. 넘치는 에너지를 주체할 수 없는 아버지는 땅 위 뿐만 아니라 땅속까지도 황량해 보일 정도로 풀 한 포기 없는 밭으로 만들었고, 몸에 좋을 것 같은 처음 보는 풀들을 겨우 일주일만에 다 캐먹고 갔다. 꼴보기 싫은 말만 골라하는 경우없는 숙모는 애써 내가 일년 동안 키워놓은 인삼 싹을 다 뽑아버리기도 했다. 잡초에게 내내 사과를 하는 사람은 이모가 처음이었다.

"아니 풀은 좀 뽑아야 사람 사는 데 같지 않아요?"

물었더니, 너무 당연한 대답이 돌아왔다.

"한 번 뿐인 인생 풀도 살아야지,

사람만 아니면 제일 잘 살아남는다."

아, 잡초도 살아있었다. 누구보다도 강인하게 살아남을 능력이 있었다. 텃밭에서 온갖 이쁨을 받으면서 지지대며, 비료며 살뜰한 보살핌을 받고 크는 고추나무처럼, 오며가며 구석구석 들여다보는 블루베리 나무처럼, 잡초도 살아있었다. 하는 일마다 사사건건 참견하고, 친구처럼, 동생처럼 챙기는 우리 고양이, 강아지처럼 잡초도 살아있는 것을 약게도 모른채 하고 살았다. 살고 죽는 것, 살아남고 살아남지 못할 것을 신 대신 우리가 결정하고 있었다. 이모의 혼잣발은 하찮게라도 살아있는 것의 아름다움을 이해한 사람의 넋두리였다.

단 한 번뿐인 생을 거의 다 써버린 사람의 안타까움이었을까. 자신을 잊어가는 대신에 신의 뜻을 이해하게 된 것일까.

모든 살아있는 것들을 예뻐할 줄 아는 분이셨다. 물론 거칠고, 힘든 살아있는 날들이 아름다운 것도 아셨다. 그것은 오직 가진 것이 생 뿐이라서, 낙천적으로 무기력해서 그런 것은 아니었다. 이모가 평생 길러낸 자식과 동물들과 작물들이 살아 빛나는 것을 보고, 생의 한가운데에서는 절대 읽어낼 수 없는 신의 사인들을 읽어냈다.

벌레들도 하루일과가 있고,
출퇴근 시간이 있고, 빠쁜 그들의 삶이 있다

고춧잎 뒤에 벌레 알은 마치 호박 보석을 줄지어 놓은 듯 정확한 간격으로 아름답게 줄지어서 빛나고 있고, 지붕 사이에 거미줄을 친 거미는 정확히 매일 오후 7시에 출근을 한다. 짝짓기 철에는 참새들도 격렬하게 싸우다 추락하기도 한다. 사마귀도 메뚜기도 1센치도 안되는 미니 사이즈일 때는 앙증맞고 귀엽고, 새들은 비오는 날에도 젖은 깃털을 손봐가며 출근을 게을리하지 않는다. 참새는 들깨밭에서 알갱이만 먹고 들깨 껍질만 버려두고, 제비가 돌아온 날 달력을 보면 놀랍게도 언제나 삼짓날이다. 반딧불이는 핸드폰 배터리 표시 아이콘처럼 3칸으로 나뉘진 led

램프처럼 생겨서 빛을 내고, 때로는 한칸, 때로는 3칸을 모두 밝힌다. 뱀은 잡아서 대충 버리고 오면 집을 찾아 돌아왔다.

아무도 신경쓰지 않고, 아무도 애도하지 않는 하찮은 생명들이 이렇게 분주하게 살고있는 것이 그제야 보였다.

우리가 수없이 심었다 뽑아버리는 도시 화단의 꽃들, 그토록 공존하기 싫었던 해충들까지도 자신들의 영역에서 한 번 밖에 없는 삶의 아름다움과 고단함을 느끼면서 살아가고 있었다.

세상에서 가장 공평한 것이 있다면 딱 하나 생명이다. 허락된 시간도 조건도 무엇하나 공평한 것이 없지만, 단 한 번의 살아갈 기회만이 공평하게 주어진다. 우연이라도 두 번째 삶을 사는 그 무엇도 없다는 것을 우리집 앞마당에서 알려주셨다.

물론 이모가 계시는 동안 우리 개 고양이는 신이 났다. 예쁘게 보이기만 하면, 따라다니기만 하면, 하루 종일 잘 얻어먹을 수 있었다. 이모는 나를 조종해서, 육고기도 넣고, 비린 것도 넣으라고 하시면서, 매 끼니 챙겨주시고는 먹는 것을 구경하셨다.

　어느 날부턴가 나도 모르게 이모처럼 웅얼웅얼 사죄하
고 있었다. 풀을 메면서, 거미줄을 정리하면서, 옷에 붙은
벌레들을 털어내면서, 그들의 삶을 방해하는 것을, 단 한
번의 기회를 빼앗는 것을 사과하고 있었다.

　덕분에 내 세상 어디도 빛나지 않는 곳이 없었다. 더러
운 웅덩이, 잡초만 가득한 풀숲, 쓸데없어 보이는 흙무더
기에도 생들이 반짝, 빛나는 것이 보이기 시작했다. 세상
모든 곳의 생이 존재를 밝히면서, 세상은 밤하는 별보다
더 많은 하찮게 빛나는 생들로 가득 채워져 있었다.

이 이야기는 다 써두고서, 최종 편집에서 뺐었다. 강아지, 고양이와 관련성이 없었기 때문이다. 그런데, 며칠 전 가장 추운 날에 이모님이 돌아가셨다. 연세가 많으셔서 예상을 못 한 것도 아니었다. 이모가 아시면, 네가 그렇게 슬퍼할 줄 몰랐다며, 어처구니없이 고마워하실 것 같이, 많이 슬펐다. 인간이 누릴 수 있는 사치 중에 무엇하나 누리지 못한 순한 삶이, 잘 알지도 못하면서 내가 다 억울했다. 특히 험한 삶을 사셨는데도, 원망 대신에, 살아있는 모든 것을 예뻐하셨던, 신의 뜻을 이해한 아름다운 사람, 이모를 기리기 위해 싣는다.

"

매우 동물적 사고

"

노력해도,
거기서 거기야.

🙾 합리적 행복

사람을 동물과 구분하는 이성, 합리적 사고로 우리는 지구의 지배자가 되었다. 인간의 이성적 사고와 도전 정신, 노력 같은 가치를 동력으로 눈부신 기술과 문화적 발전을 이뤘다. 인류가 어떤 다른 종보다 우월하다는 증거다. 인간의 이성과 합리성으로 설명하지 못하는 문제는 없다.

자유나 행복, 사랑이나 생명 같은 가치의 문제도 인간은 합리적으로 정의를 내렸다. 더 많이 가질수록 강하고, 강할수록 자유롭고, 자유로울수록 행복하다. 그래서 행복은 그 어떤 가치보다도 물질적이다.

합리적 견생역전

우리와 가장 가깝고, 그나마 의사소통이 되는 개와 고양이조차 이성적이거나 합리적으로 생각하지 못한다. 덕분에 우리 마루, 양갱이, 젤로는 나로도 만족해 준다. 마루가 인간이었다면, 이성적인 판단하에 도전 정신을 발휘해서 가출했을지도 모른다. 골든리트리버가 제주도에서 한창 주가를 올리고 있던 때라 외제차가 주차된 전원주택에서 불쌍한 척, 노력을 했다면, 견생역전을 이뤘을지도 모른다.

시골 농협에서 파는 사료 대신에 오가닉 사료를 먹으면서 수영장이 있는 집에서 살 수 있는 기회를 잡았을 것이다. 다행히도 마루는 도전, 노력, 합리, 이성 같은 것을 몰랐다. 더 가치 있는 사랑, 더 럭셔리한 행복을 따질 줄 몰랐다.

몰라서 몰랐다.

사랑은 사랑이고, 행복은 행복이었다. 거짓말같이 동물은 헤어졌다 만날 때마다 점점 더 반가워해 줬다. 마루는 오가닉 사료 대신에 가끔 양갱이가 한눈팔 때 훔쳐먹는 고양이 사료로도 충분히 행복했고, 그것도 여의치 않으면, 양갱이 똥으로도 충분했다. (이상하게 마루는 다른 똥은 아무것도 먹지 않는데, 양갱이 똥은 환장하고 먹었다.- 이 사실을 책에다 써서 미안해 마루야)

우리는 넓은 잔디 정원 대신에 밭 사이로 난 길이나 수확이 끝난 밭에서 뒹굴고 놀았고, 가끔 맘에 드는 무나 나뭇가지를 집으로 가져오는 물욕 정도로도 충분히 부자였다. 나는 언제나 미안했지만, 마루는 부족함을 몰랐다. 몰랐기 때문에 몰랐다.

양갱이는 도시에서 태어나 비행기도 타본, 그야말로 산

전수전 공중전까지 다 겪은 고양이였지만, 하루아침에 뒤바뀐 제주도 시골 생활에도 만족했다. 자신만의 전원생활의 루틴을 방해하지만 않으면 아무것도 신경 쓰지 않았다. 젤로는 이성 같은 것 대신에 열정적으로 주인을 지키는 정의의 사도였다.

우리 개와 고양이들은 도전 정신으로 노력하고 있는 나를 항상 말렸다. 행복은 거기에 있지 않다면서, 행복은 마당에, 들판에 있고, 밥그릇 속에 있다고 알려줬다. 아마 사람 말을 할 줄 알았다면, '노력해도 거기서 거기야, 행복은 지금 산책을 나가야 생기지!' 이렇게 말했을 것이다.

그전까지 나는 항상 도전하고 노력했고, 이성과 합리성이라는 자를 들고 내 인생을 스스로 재단했다. 다른 사람들도 다 그렇게 하고 있었으니까. 그런데 너무 당연하게 받아들여서 원하는 것인지 아닌지를 따져 보지도 않았다. 마치 세일 상품이라니까 필요도 없는 것을 사들이듯이, 돈 대신 인생을 지불하고 말았다.

때로는 인간적으로 사고하고 판단하지 않아도 된다. 삶의 목적이라는 것은 애초에 죽음이라는 목적지로 향하는 여행일지도 모르고, 애초에 목적 따위는 없는 순간의 모음

집이 생일지도 모른다.

　나는 마루를 데려오는 순간부터 매우 인간적이고, 합리적 사고로 견종을 고르고 골랐는데, 마루는 주인이 금발미녀가 아니고, 햇빛에 그을린 늙은 노처녀라고 비웃거나 깔보지도 않았다. 마루는 매우 동물적으로 사고로 항상 나를 예뻐해 줬다.

　"노력해도

　거기서 거기야,

　지금 행복하자"

영원한 것이 있을지도
모른다는 의심

오늘 더 반가워"

🎔 당연하지만, 어려운 것

사랑은 항상 받는 것으로 시작된다. 누군가에게는 너무도 당연하고, 누군가에게는 어렵다. 기억나기 전부터 당연하게 사랑을 받아온 사람조차도 누군가의 희생과 노력으로 사랑받는다. 사랑은 당연하지만 언제나 어렵게 주어지는 것이다. 영혼은 사랑을 먹고 자라나는데, 사랑은 쉽게 받거나, 어렵게 구걸해도 늘 이해하기가 어렵다.

나는 첫 단추부터 잘못 끼워져 있었던 사람이었다. 사랑은 날 때부터 불안정한 파도처럼 밀려왔다 밀려나가는 변덕스러운 것이어서, 항상 초조한 매력을 가진 것이었다. 사랑받는 순간에도 언제 썰물처럼 빠져나갈지 몰라서, 온전히 누리지 못했다. 폭풍전야처럼 조마조마한 강력한 힘이었고, 변덕스러움으로 상대를 제압해야 하는 힘의 논리라고 차츰 생각하게 되었다. 점점 커지는 영원 불변한 사랑은 현실을 모르는 동화같은 이야기라고 믿었다.

인생에서 처음으로 영원히 변하지 않는 반가움이 있을지도 모르겠다는 의심은 강아지 때문에 생겼다. 마루는 언제나 집에 돌아오면 넘어뜨릴 듯이 반기는 것을 절대 멈추지 않았기 때문이다. 처음에는 아기강아지의 천진함이라고 생각했다.

'커가면서 곧 차분해지겠지'

강아지는 당연해지는 법을 몰랐다. 내가 돌아올 때마다 더 반가워졌다. 누구도 점점 더 낯설어지는 법은 없는데, 더 반가워지는 이유가 있다면, 어쩌면 변함없는 사랑 때문일 수도 있겠다. 그런 이유가 아니라면, 단 한 번도 빼놓지 않고, 흥분을 감추지 못하고, 어제처럼 오늘도 달려와 반길 수는 없다.

일 년 만에 집으로 돌아와서 마루를 마지막으로 만났을 때는 이제 마루는 노견이 되어있었다. 천천히 조심스럽게 걸으면서 산책해야 했다. 그러나 그때도 외출에서 돌아오면, 어린 강아지였을 때처럼 넘어뜨릴 듯이 반겨 주었다. 마루는 점점 더 반가워지는 방법을 알려줬다.

내가 똑같이 마루를 반가워하지 않아도, 바빠서 급하게 방으로 들어가 버려도 상관없었다. 다음날 돌아올 때는 변함없이 더 반가워졌다. 어느 순간부터 집으로 돌아오는 길에서는 나도, 마루가 기다리겠다며 서두르게 되었다. 그렇게 영원불변한 것이 있을지도 모르겠다는 의심에 마루가 대답해 주었다.

"다녀왔어?

언제나, 변함없이,

더 많이

오늘 더 반가워 "

"

세상에서 가장
축축하고 보드라운

"

별일없이
보고싶다.

" 　　　　　　　　　　　고양이는 고슴도치를
좋아한다. 고양이는 까끌까끌한 것에 몸을 비비는 것을 좋
아하는데, 그래서 고슴도치를 따라다니며 몸을 비비는 고
양이 영상이 유튜브에 많이 있다.

고슴도치와 고양이

양갱이와 우리 가족은 천생연분이었다. 우리는 고슴도
치 같은 가족이었기 때문이다. 20살이 되기도 전에 집에
서 나와 살기 시작했는데, 그 짧은 어린 시절 동안 우리
가족은 매우 유기적으로 서로에게 생채기를 내고 타박했
다. 서로 살갑지도 않고, 큰 문제가 있지도 않은 평범하게
불행한 가족이었다. 서로 아끼지 않는 것은 아니어서, 가
까이 가면 찔리지 않도록, 적당히 거리를 유지하면서 사는
법을 익혔다.

나 때문에 예정에도 없이 고양이 양갱이와 함께 살게
되면서, 집안 분위기가 달라졌다고 했다. 덕분에 대화도
늘고, 가끔 웃기도 했을 것이다. 양갱이는 우리 가족 사이
에서 가장 보드라운 존재였다. 가시에 생채기가 나지도 않
고, 가까이 가도 누구도 찌르지 않았다. 계속 만져도 더
만지고 싶은 보드라운 온기를 가운데서 나눠줬다. 함께 살

아도 서로에게 상처 내지 않을 수 있다는 사실을 양갱이 덕분에 처음 알았다. 동물은 아무도 혼내거나 원망하지 않는다.

변하지 않는 것이 진짜 있다.

어른이 돼서 처음으로 다시 함께 살게 된 제주도에서는 처음부터 양갱이와 마루와 함께였다. 아기 강아지였던 마루는 하루에도 몇 가지씩 사고를 쳤고, 아이디어를 짜내서 함께 해결해야 했다. 마루와 양갱이는 우리가 함께 사는 훈련을 시켰다.

사람 사이는 변하고, 시간이 지날수록 더 좋아지기가 힘들다. 그러나 마루와 양갱이는 대문을 한번 나섰다 돌아올 때마다 더 축축하고 더 보드랍게 반겨주었다. 온 세상이 변해도 절대 변하지 않았다. 나는 세상에 변하지 않는 것이 있다는 사실도 이때 처음 알았다.

이유 없이 그리운 것

나는 진짜 가족의 의미를 단단히 오해하고 있었다. 가끔 보는 서먹한 사이의 사람들이며, '부모, 형제도 다 필요 없다'고 엄마가 항상 말해온 것처럼, 무소식이 희소식인 사이라고 배웠다. 그래도 적과 대항할 최후의 보루, 절망 앞에서는 우리 편이었다. 그러니까 가족은 사랑이었다.

서로 걱정하거나 안부는 전했지만, 빨리 돌아가서 함께 있고 싶다는 생각을 해본 적이 없었다. 돌아갈 곳이니까 돌아갔고, 별일이 없으면 안 봐도 됐다. 마루랑 양갱이와 함께 살게 된 이후에는 자연스럽게 집에 빨리 돌아가고 싶고, 이유가 없어도 보러 갔다. 가족은 최후의 보루가 아니고 이유 없이도 함께하는 사이인 것을 깨달았다. 고양이와 강아지의 보드라운 온기는 딱히 중요하지는 않지만, 만지고 있으면 끝없이 평화로워지는 이유 없이 그리워지는 그런 것이었다.

'동물을 가족처럼 대한다는 말'은 동물을 키워보기 전에는 헷갈렸다. 동물을 사람처럼 비싸게 입히고 먹이라는 말로 들려서 거북한 생각도 들었다. 마루와 양갱이 덕분에 가족같은 동물의 의미를 이해하게 됐다. 가련한 동물이 왜 노숙자 주인과 함께 사는 것이 나은지, 동물을 키울 여건이 안되는데도 가진 것을 다 털어서 동물과 함께 사는 불합리한 선택을 하게되는지, 이제는 이해한다. 함께 하는데 이유나 필요가 필요 없는 것이 가족이었다. 나도 멀리 떨

양갱이

어져 있는 동안 처음으로 그리웠다.

"별일도 없는데,

보고싶다.

그치?"

코타키나발루로 가는
버 스 정 류 장

다행이다. 그치? ”

🎵 옥상계단

우리 집은 근처에서 가장 높은 1층 주택이다. 1층이지만 지붕을 덮지 않아 옥상이 있다. 우리 집 근처의 집들은 다 옥상이 없어서 강아지들과 옥상에 올라오면 세상에서 가장 높은 곳에 앉아 있는 기분이 들었다. 우리가 사랑하는 자리는 옥상 끝 마지막 계단이었다. 주택의 옥상으로 가는 계단이 그렇듯이 두 사람이 앉기도 비좁은 자리에 앉아서 마루랑 어깨동무를 하고, 젤로는 무릎에 얹고 음악을 들었다. 몇 번은 간식으로 꼬셔서 싫다는 양갱이도 데리고 앉아 있었다. 양갱이는 항상 다 먹으면 바로 돌아갔다.

달이 없는 밤에는 별도 보고, 달이 차고 기우는 것을 우리는 넓은 옥상을 놔두고 그 좁은 계단에 앉아서 바라봤다.

버스정류장

앉아 있는 것이 지루해지면 차들이 다 사라진 집 앞을 산책하러 나갔다. 우리 집 대문을 열고 나가면 바로 버스정류장이 있는데, 아무도 없는 밤의 버스정류장 벤치는 산책루틴이 되었다. 산책을 시작할 때 버스정류장에 앉아서,

산책 전 흥분을 낮추기 위해서 '앉아', '기다려'를 몇 차
례 하다가 출발하곤 했다.

그때마다 우리는 처음 만난 사람처럼 역할극을 하고 놀
았는데,

"어디 가세요?"

"코타키나발루 가는 버스 기다리고 있어요."

이렇게 실없는 대사를 주고받았다. 코타키나발루는 가
본 적도 없고 계획도 없었는데, 아마 '코타키나발루'라는
노래 때문이었던 것 같다. 그냥 그 발음이 뭔가 신비한
천국 같은 곳으로 데려가 줄 것 같았다. 산책에서 돌아오
면서 버스정류장이 보이기 시작하면,

"코타키나발루로 가자!!"

외치면서 버스정류장에 뛰어와서 앉아 있다가, 실없는
대화를 좀 더 하다가 돌아갔다.

내가 장기여행을 계획하면서 버스정류장에서의 대화는
약속이 되어갔다.

"나 이제 언제 올지 모르니까,

버스 타고 코타키나발루로 와. 거기서 기다릴게"

"버스 탈 줄 알지?"

"마루는 똑똑해서 혼자서도 잘 찾아올 거야"

"그렇지?"

그날 그날 기분 따라 달라지는 상황극으로 조금씩 이별을 연습했다. 그 뒤로 4년 동안 긴 여행을 떠났다. 가끔 한국에 돌아와서 집에 머물다 갔지만, 일 년에 한 번 정도였다.

시작할 때 말했지만, 우리 집의 개, 고양이들은 내 개도, 내 고양이도 아니다. 나는 그저 잠깐 더부살이로 살고 있는 참견쟁이였을 뿐이다. 같이 있을 때도 한 달에 한두 번씩은 짧은 출장으로 집을 비웠다. 캐리어를 열면 곧 떠나는 줄 동물들도 알았다. 항상 내 곁에 붙어 있는 젤로는 캐리어를 펼치면 잠들 때까지 그 안에서 들어가서 시위를 했고, 마루는 돌아올 때는 가장 먼저 뛰어와서 나를 반겼지만, 캐리어를 들고 나갈 때는 배웅하지 않았다. 그때는 잘 쓰지도 않는 개집에 들어가서 나오지 않았다. 집까지 찾아가서 깊숙이 들어앉은 마루에게 가야 한다는 말을 전하고 돌아설 수밖에 없었다. 강아지도 이별을 안다. 평소와 다른 행동들은 쉽게 알아채고, 몰라서 그렇지 생각보다 많은 단어를 알아듣는지도 모른다.

마루

내가 떠난 뒤에도 마루는 혼자 좁은 옥상 계단에 앉아서 멍하니 시간을 보내고, 산책에서 돌아올 때면, 언제나 버스정류장에 잠시 앉아 있었다고 했다. 강아지는 기억도 하고, 추억도 한다. 마지막 여행에서 돌아오기 전 마루가 죽었다는 이야기를 들었다. 코로나로 락다운 된 도시에서 겨우 항공편을 구해 돌아왔지만, 버스 정류장에도, 옥상 계단 끝에서 내려다보는 마루도 이젠 없었다.

다시 만날 곳을 정해둬서 다행이다.

"곧 다시 만나"

전원생활에 어울리는 품종견 **201**

"기다려!

집사.

하고 싶은 말이 있어.

나는 있는 것이 없었다. 심지어 동물을 키운 적이라고는 양갱이를 겨우 일주일 데리고 있었던 것이 전부였다. 돈도 없고, 집도 없고, 사람들이 갖추었다고 생각하는 무언가를 가진 것이 없었다. 심지어 책임감도 없고 염치도 없이 개 고양이를 키우는 것을 구경한 것만으로 이 글을 썼다.

나는 내가 아는 사람 중 제일 멍청한 사람이다. 인생의 어느 시점에서도 뭘 해야 하는지, 어떻게 살아야 하는지 알았던 적이 없고, 도와주는 사람도 없어서, 어쩔 줄 몰라 전전긍긍하면서 살았다. 불에 데어봐야 뜨거운 줄 알고, 넘어져야 아픈 줄 아는 당해보기 전에는 아무것도 모르는 사람이었다.

누구랑 같이 살아본 적도 없었다. 고등학생 때부터 나와 살기 시작해서 쭉 혼자 살아왔다. 외롭기에는 너무 바쁘고 익숙해져 있었다. 그러면서도 기준에 맞춰서 살기 위해서 언제나 달리고 있었다. 풍경을 살펴보거나 스스로를 살펴볼 새도 없었다.

우연히 개 고양이와 함께 살면서 어쩔 수 없이 멈췄다. 동물들은 직진만 하지 않는다. 이유 없이 달려나갔다가 망설임 없이 되돌아가기도 하고, 기약이 없는 듯 멈춰있기도 한다. 이런 동물들에 맞춰 살자니 할 일은 많고, 빨리 달려나갈 수 없어서 처음에는 답답했다. 빨리 앞서나가야 한다고 채근해도, 조금 서둘러 달라고 부탁해도 순진한 표정으로 '그러면 뭐가 좋으냐'고 되물어 온다.

"빨리 가면 뭐가 좋아?"

이 질문에 머릿속이 하얘졌다.

아무리 생각해도, '다들 그렇게 하니까?', '빨리 가서 쉬면 좋으니까' 같은 궁색한 대답밖에 없었다. 무리에서 떨어지면 안 된다는 공포 때문에 이유도 모르고 달리고 있었다.

반려동물과 함께 살면 몸은 바빠진다. 그런데 마음은 처음으로 멈춰 있을 수 있었다. 천천히 가다서다 하면서, 사는 것이 더이상 불안하지 않았다. 젤로, 마루, 양갱이랑 말이 통하기까지 시간은 걸렸지만, 마음이 통하기 시작하면 들을 수 있었다.

'더 많이 놀고,
더 맛있게 먹고,
더 햇빛을 만끽하면서
흥에 넘치는 개처럼 살아도 된다고,
오후 내내 나른하게 보내는
고양이처럼 살아도 된다'고,
개, 고양이가 전해주는 말을.

왜 내 삶에는 기적 같은 일이 일어나지 않을까, 신은 세상을 왜 이렇게 불공평하게 만들었을까 항상 원망하고 지냈다. 동물들의 말을 이해하면서, 기적은 매 순간 일어나고 있음을 깨달았다. 우리가 살아있는 이유, 그 많은 인연들 사이에서 우리가 만나게 된 이유, 어김없이 또 아름다운 내일이 오는 이유를 누구도 설명할 수 없었다. 그 설명할 수 없는 당연한 일들이 우리 곁에서 매일 기적처럼 일어나고 있는데도, 마루, 양갱이, 젤로를 만나기 전에는 전혀 몰랐다.

아쉽게도 기적같은 순간은 빠르게 지나간다. 그러나 내 인생에서 기적을 설명해준 아름다운 동반자였던, 우리집 개, 고양이들과 함께한 기억, 그들이 들려준 사랑스럽고도, 보드라운 지혜의 말들은 남아있다.